Telis Marin

Nuovo
Vocabolario
Visuale

il parrucchiere

la chiesa

il negozio di abbigliamento

la farmacia

la pizzeria

la banca

il supermercato

centro commerciale

l'edificio / il palazzo

il bancomat

la posta / l'ufficio postale

la fermata dell'autobus

la pista
ciclabile

la buca per
le lettere

l'edicola /
il giornalaio

il forno / la
panetteria

la pescheria

l'incrocio

onica

il negozio di elettrodomestici

le strisce
pedonali

il negozio di scarpe

la pasticceria

EDILINGUA

www.edilingua.it

Telis Marin è direttore di Edilingua, insegnante e formatore di insegnanti di italiano L2, in Italia e all'estero. Dopo la laurea in Lettere moderne e il Master ITALS in Didattica e promozione della lingua e della cultura italiana a stranieri, ha insegnato in varie scuole d'italiano per stranieri. L'esperienza didattica diretta lo ha portato a realizzare diversi materiali per l'apprendimento dell'italiano, quali *Via del Corso* (Libro dello studente), *Nuovo Progetto italiano 1, 2, 3* (Libro dello studente), *Progetto italiano Junior 1, 2, 3* (Libro di classe), *La Prova Orale 1* e *2*, *Primo Ascolto*, *Ascolto Medio*, *Ascolto Avanzato*, i videocorsi di *Nuovo Progetto italiano*, *Progetto italiano Junior* e *Via del Corso*.
Negli ultimi anni si è occupato di tecnologie per la didattica delle lingue: frutto dell'approfondimento e della ricerca su queste tematiche è la piattaforma i-d-e-e.it.

© **Copyright edizioni Edilingua**

Sede legale
Via Alberico II, 4 - 00193 Roma
Tel. +39 06 96727307
Fax +39 06 94443138
info@edilingua.it
www.edilingua.it

Deposito e Centro di distribuzione
Via Moroianni, 65 12133 Atene
Tel. +30 210 5733900
Fax +30 210 5758903

I edizione: aprile 2018
ISBN: 978-88-98433-59-9
Redazione: Elisa Sartor
Impaginazione e progetto grafico: Edilingua
Foto: © Shutterstock
Registrazioni audio: *Autori Multimediali*, Milano

Edilingua sostiene
actionaid

Grazie all'adozione di questo libro, Edilingua adotta a distanza dei bambini che vivono in Asia, in Africa e in Sud America. Perché insieme possiamo fare molto! Ulteriori informazioni nella sezione "Chi siamo" del nostro sito.

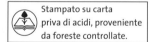

Stampato su carta priva di acidi, proveniente da foreste controllate.

Ringraziamo sin d'ora gli studenti e i colleghi che volessero farci pervenire eventuali suggerimenti, segnalazioni e commenti sull'opera (da inviare a redazione3@edilingua.it).

Premessa

Il *Nuovo Vocabolario Visuale*, mantenendo le 40 unità tematiche dell'edizione precedente, propone oltre mille parole di uso quotidiano della lingua italiana attraverso immagini aggiornate e nuove attività di ascolto. È uno strumento utile e pratico per gli studenti di italiano come lingua straniera o seconda, principianti e falsi principianti di tutte le età, che vogliono apprendere il lessico di base per una comunicazione efficace, per arricchire il loro vocabolario o per prepararsi ad un esame di certificazione.

Le parole sono state selezionate e illustrate in base alla loro frequenza, alla loro diffusione e soprattutto all'utilità per il parlante: si tratta di una lista di sostantivi, verbi, aggettivi e preposizioni abbastanza completa, ma che non intende essere esaustiva.

La novità di questa edizione è rappresentata dalle attività di ascolto del *CD audio* allegato che si propongono molteplici finalità: rafforzare la corrispondenza tra parola scritta, immagine e suono attraverso la contestualizzazione in prospettiva comunicativa; motivare e coinvolgere attivamente lo studente rendendo più efficace la memorizzazione e l'acquisizione; offrire dei modelli comunicativi da riutilizzare nella propria quotidianità per "saper fare" con la lingua.

Il lessico viene presentato in modo intuitivo attraverso una chiara corrispondenza parola-immagine. Lo studente trova un ulteriore stimolo alla riflessione attiva nell'*Eserciziario*, che propone brevi esercizi ed attività ludiche per la memorizzazione e il consolidamento di quanto appreso in ogni unità, e negli *Esercizi di ricapitolazione*. Questi ultimi permettono allo studente di lavorare contemporaneamente su più unità tematiche e possono essere utilizzati per la verifica dell'apprendimento. Questa struttura rende il *Nuovo Vocabolario Visuale* un ottimo supporto da integrare nel sillabo di classe e, grazie alle *Chiavi* poste alla fine del volume, rappresenta una valida risorsa anche per l'autoapprendimento.

Le attività orali: tipologie e indicazioni metodologiche

Le attività proposte sono di vario tipo. Viene chiesto di: riconoscere la presenza di alcune delle parole dell'unità all'interno di un testo orale (dialoghi, frasi, testi descrittivi, testi normativi, ecc); decidere se le frasi ascoltate sono vere o false; individuare dove cade l'accento tonico di alcune parole; indicare l'ordine in cui sono lette le parole; individuare le parole che vengono ripetute o quelle non afferenti al contesto.

L'osservazione delle immagini deve precedere le attività di ascolto in modo che lo studente riconosca il contesto e associ ogni singola parola all'immagine corrispondente.

Tutte le parole raffigurate nel *Nuovo Vocabolario Visuale* sono pronunciate: nel caso di attività di riconoscimento di parole all'interno di un testo, le parole non ascoltate nella traccia sono presenti nella successiva.

Per quanto riguarda i testi orali abbiamo cercato di proporre dei modelli comunicativi che possano essere immediatamente fruibili nel contesto comunicativo degli studenti.

La pronuncia

In italiano la maggior parte delle parole è piana, cioè l'accento cade sulla penultima sillaba. Quando l'accento non cade sulla penultima sillaba o nei casi in cui potrebbero sorgere delle difficoltà nella divisione in sillabe, la posizione dell'accento viene indicata (esempio: *parabolica*, *bagaglio*).

Buon lavoro!

INDICE

Nuovo Vocabolario Visuale

1

🎧 Ascolta i 7 minidialoghi e indica con una X i numeri che senti.

1 uno

X due

3 tre

4 quattro

5 cinque

6 sei

7 sette

8 otto

9 nove

10 dieci

Da 1 a 100...

11 undici

12 dodici

13 tredici

14 quattordici

15 quindici

16 sedici

17 diciassette

18 diciotto

19 diciannove

20 venti

22 ventidue

23 ventitré

21 ventuno

30 trenta

40 quaranta

50 cinquanta

60 sessanta

70 settanta

80 ottanta

90 novanta

100 cento

...dopo il 100...

- 101   centouno
- 500   cinquecento
- 1000   mille
- 10000   diecimila
- 1000000   un milione
- 1000000000   un miliardo

2 Ora ascolta i numeri che non hai sentito.

3 Ascolta, scrivi i numeri e fai il totale.

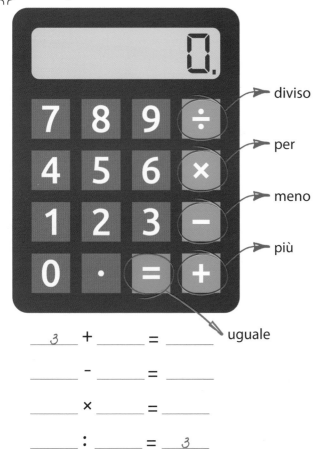

diviso

per

meno

più

uguale

_3_ + _____ = _____

_____ − _____ = _____

_____ × _____ = _____

_____ : _____ = _3_

4 Ascolta e indica con una X i numeri che senti due volte.

(19) diciannovesimo	(20) ventesimo
(17) diciassettesimo	(18) diciottesimo
(15) quindicesimo	(16) sedicesimo
(13) tredicesimo	(14) quattordicesimo
(11) undicesimo	(12) dodicesimo
(9) nono	(10) decimo
(7) settimo	(8) ottavo
(5) quinto	(6) sesto
(3) terzo	(4) quarto
(1) primo	(2) secondo

7

Ascolta la descrizione e indica l'ordine in cui senti le parole, come nell'esempio.

io!

mio fratello

i miei genitori
mio padre (il mio papà)   mia madre (la mia mamma)

il mio fratellino

(la sorella di mia madre)
mia zia

(i genitori di mia madre)
mio nonno   mia nonna

(la figlia dei miei zii)
mia cugina

(il marito di mia zia)
mio zio

(il figlio dei miei zii)
mio cugino

La casa

6 Ascolta il dialogo e indica con una X le parole che senti.

il comignolo

l'abbaino

il tetto

l'antenna parabolica

la mansarda / la soffitta

la finestra

il bagno

la camera da letto

la porta

la tenda

le scale

l'ingresso

il salotto

i fiori

il giardino

EDILINGUA

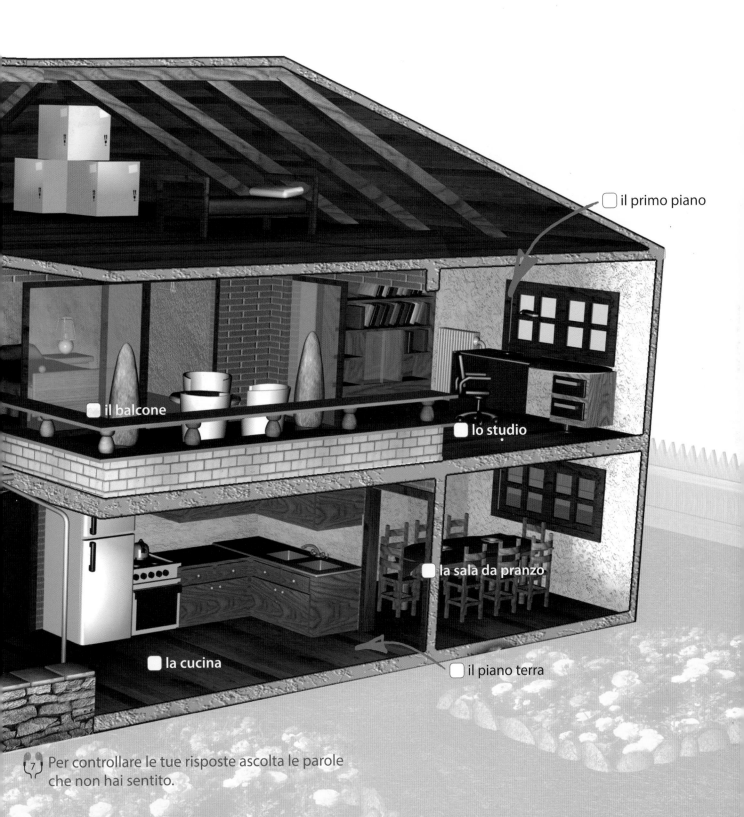

il primo piano

il balcone

lo studio

la cucina

la sala da pranzo

il piano terra

7 Per controllare le tue risposte ascolta le parole
che non hai sentito.

11

4

8 Ascolta il dialogo e indica di quali stanze non si parla.

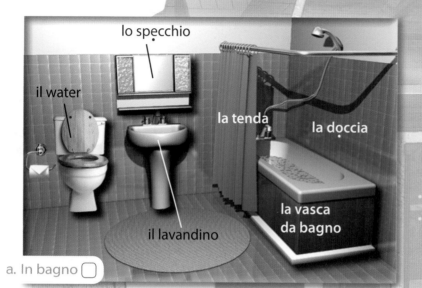

lo specchio

il water

la tenda

la doccia

il lavandino

la vasca da bagno

a. In bagno ⬭

9 Ascolta tutte le parole relative alle stanze e ai mobili della casa.

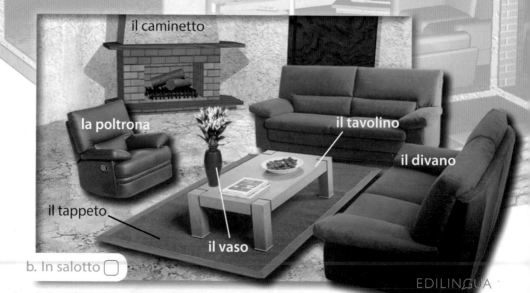

il caminetto

la poltrona

il tavolino

il divano

il tappeto

il vaso

b. In salotto ⬭

EDILINGUA

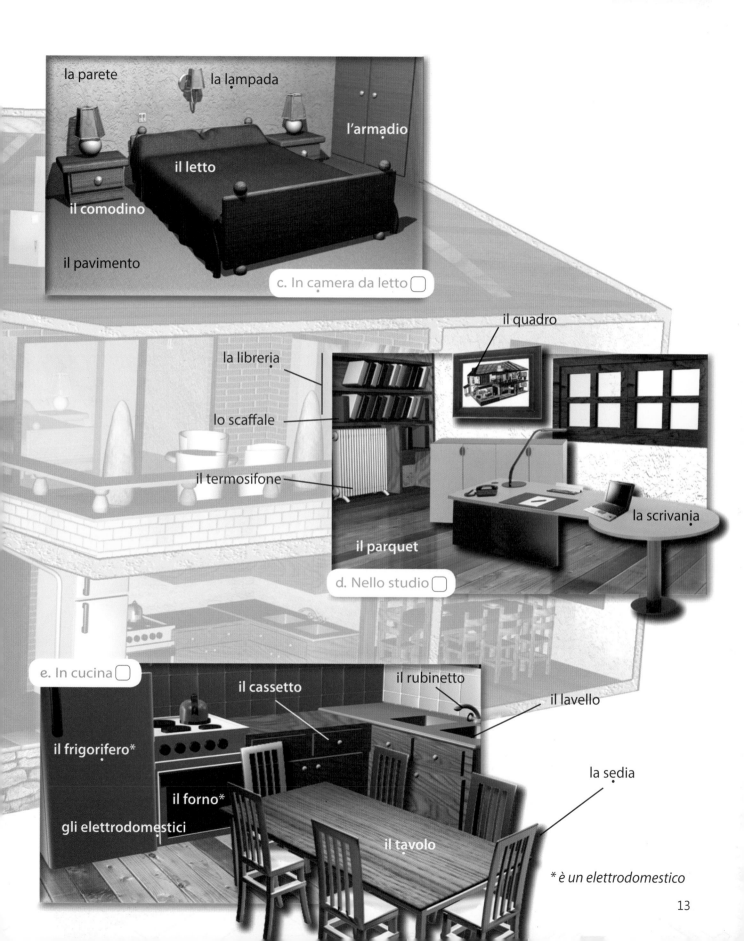

la parete
la lampada
l'armadio
il letto
il comodino
il pavimento

c. In camera da letto

il quadro
la libreria
lo scaffale
il termosifone
il parquet
la scrivania

d. Nello studio

il cassetto
il rubinetto
il lavello

e. In cucina

il frigorifero*
la sedia
il forno*
gli elettrodomestici
il tavolo

*è un elettrodomestico

13

Ascolta e indica con una X le parole che senti due volte.

a. Il corpo

- la mano
- il braccio
- il petto
- l'ascella
- il ginocchio
- il fianco
- la caviglia
- la pancia
- il polpaccio
- la coscia

b. La mano e le dita

- il mignolo
- l'unghia
- l'anulare
- il medio
- l'indice
- il polso
- il pollice

la testa

il collo

la schiena

la spalla

la gamba

il gomito

il piede

c. Il viso

i capelli

la fronte

l'orecchio

l'occhio

il naso

la bocca

il mento

la guancia

6 L'ora

la sveglia

il cellulare

sono le otto

11 Ascolta la telefonata e abbina gli orari a quello che deve fare domani Roberto. Attenzione: c'è un orario in più!

Febbraio
13

9.00
(alle nove)   tennis

11.50
(alle undici e cinquanta /   lezione
alle dodici meno dieci)

13.30   pranzo con Lucia
(alle tredici e trenta /
all'una e mezza)   esame

14.45
(alle quindici e quarantacinque /   cinema
alle tre meno un quarto)

17.15   dentista
(alle diciassette e quindici /
alle cinque e un quarto)

20.00
(alle venti / alle otto)

22.40
(alle ventidue e quaranta/
alle undici meno venti)

EDILINGUA

7 Le parti del giorno

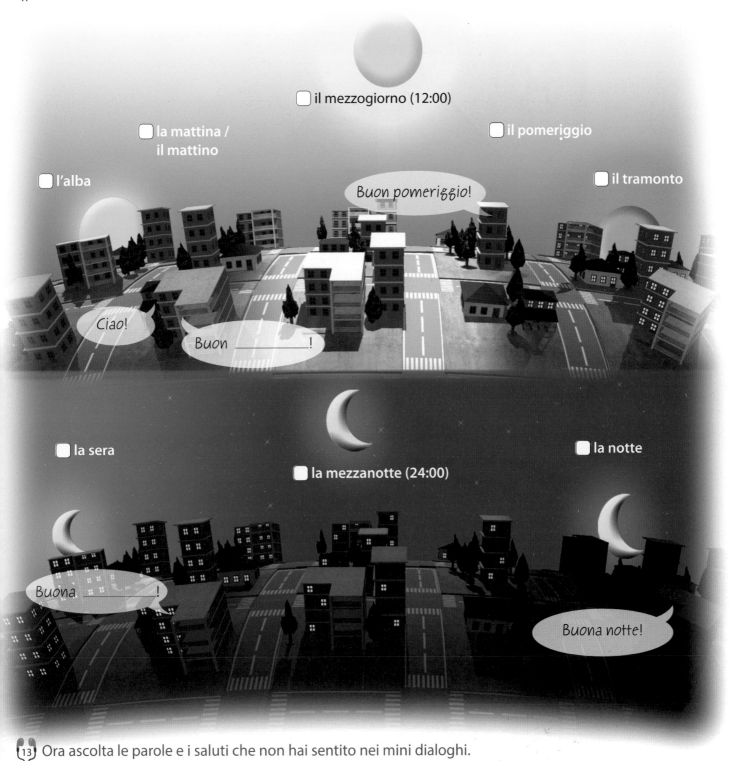

12 Ascolta i 3 mini dialoghi. Indica le parole che senti e completa i saluti.

- il mezzogiorno (12:00)
- la mattina / il mattino
- il pomeriggio
- l'alba
- il tramonto
- la sera
- la notte
- la mezzanotte (24:00)

Buon pomeriggio!

Ciao!

Buon _____!

Buona _____!

Buona notte!

13 Ora ascolta le parole e i saluti che non hai sentito nei mini dialoghi.

8 Dov'è?

🎧 14 Ascolta le frasi e indica con una X gli animali descritti.

fra

su (sulla poltrona)

sopra

davanti

dietro

sotto

di fianco

fuori

in (nella scatola) / dentro

EDILINGUA

in alto

lontano
(in fondo)

in basso

a destra

a sinistra

a destra

vicino

[15] Ora ascolta tutte le
parole per dire dov'è
una cosa.

lungo

19

Giorni, mesi e stagioni

(16) Ascolta il messaggio e indica in quali giorni della settimana va in palestra la ragazza.

La settimana

- lunedì ☐
- martedì ☐
- mercoledì ☐
- giovedì ☐
- venerdì ☐
- sabato ☐
- domenica ☐

(17) Indica le stagioni e i mesi che senti.

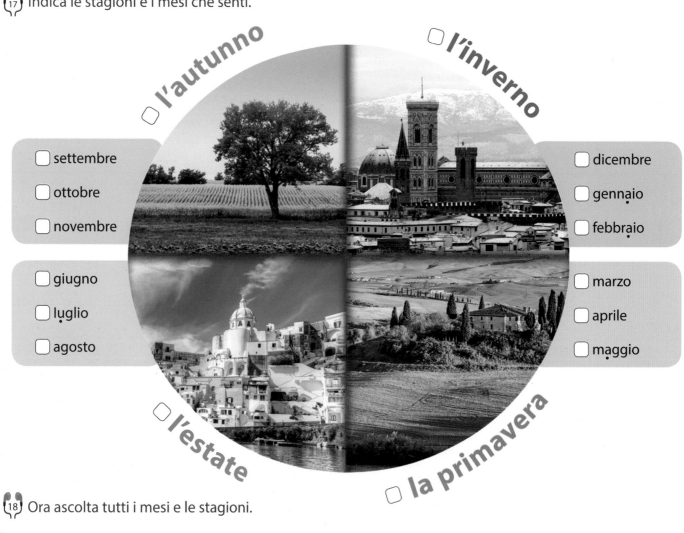

☐ l'autunno

☐ l'inverno

- ☐ settembre
- ☐ ottobre
- ☐ novembre

- ☐ dicembre
- ☐ gennaio
- ☐ febbraio

- ☐ giugno
- ☐ luglio
- ☐ agosto

- ☐ marzo
- ☐ aprile
- ☐ maggio

☐ l'estate

☐ la primavera

(18) Ora ascolta tutti i mesi e le stagioni.

10 Il mondo

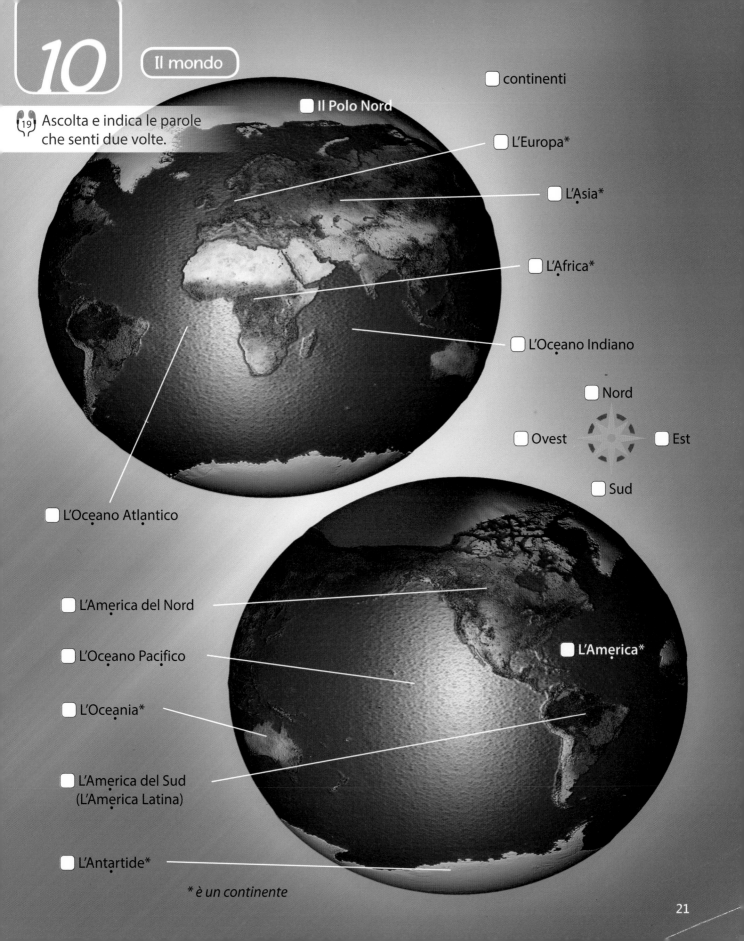

☐ continenti

☐ Il Polo Nord

🎧 (19) Ascolta e indica le parole
che senti due volte.

☐ L'Europa*

☐ L'Asia*

☐ L'Africa*

☐ L'Oceano Indiano

☐ Nord

☐ Ovest   ☐ Est

☐ Sud

☐ L'Oceano Atlantico

☐ L'America del Nord

☐ L'America*

☐ L'Oceano Pacifico

☐ L'Oceania*

☐ L'America del Sud
(L'America Latina)

☐ L'Antartide*

*è un continente

21

L'Italia: regioni e città

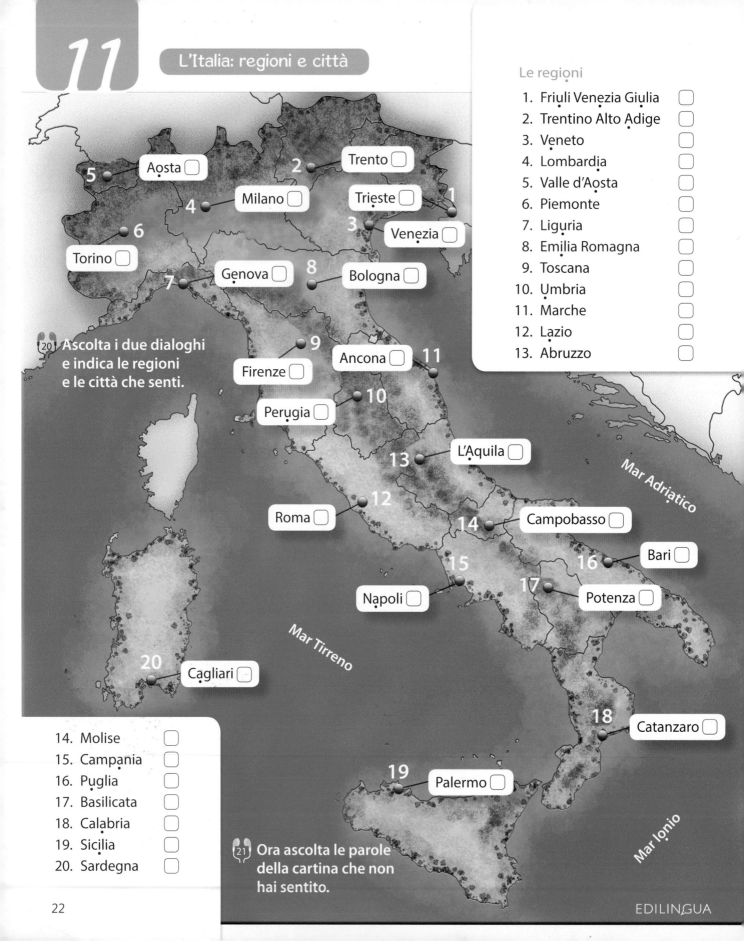

Le regioni

1. Friuli Venezia Giulia ☐
2. Trentino Alto Adige ☐
3. Veneto ☐
4. Lombardia ☐
5. Valle d'Aosta ☐
6. Piemonte ☐
7. Liguria ☐
8. Emilia Romagna ☐
9. Toscana ☐
10. Umbria ☐
11. Marche ☐
12. Lazio ☐
13. Abruzzo ☐

Aosta ☐
Trento ☐
Milano ☐
Trieste ☐
Torino ☐
Venezia ☐
Genova ☐
Bologna ☐
Ancona ☐
Firenze ☐
Perugia ☐
L'Aquila ☐
Roma ☐
Campobasso ☐
Bari ☐
Napoli ☐
Potenza ☐
Cagliari ☐
Catanzaro ☐
Palermo ☐

Mar Adriatico
Mar Tirreno
Mar Ionio

20 Ascolta i due dialoghi e indica le regioni e le città che senti.

14. Molise ☐
15. Campania ☐
16. Puglia ☐
17. Basilicata ☐
18. Calabria ☐
19. Sicilia ☐
20. Sardegna ☐

21 Ora ascolta le parole della cartina che non hai sentito.

Gli stati dell'Europa

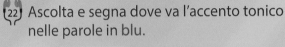

(22) Ascolta e segna dove va l'accento tonico nelle parole in blu.

1. Islanda
2. Norvegia
3. Svezia
4. Finlandia
5. Russia
6. Estonia
7. Lettonia
8. Lituania
9. Bielorussia
10. Ucraina
11. Moldavia
12. Romania
13. Bulgaria
14. Turchia
15. Cipro
16. Grecia
17. FYROM
18. Albania
19. Serbia
20. Ungheria
21. Slovacchia
22. Polonia
23. Repubblica Ceca
24. Austria
25. Slovenia

26. Croazia
27. Bosnia ed Erzegovina
28. Montenegro
29. Italia
30. Svizzera

31. Germania
32. Danimarca
33. Olanda (Paesi Bassi)
34. Belgio
35. Lussemburgo

36. Francia
37. Regno Unito (Inghilterra, Scozia, Galles)
38. Irlanda
39. Spagna
40. Portogallo

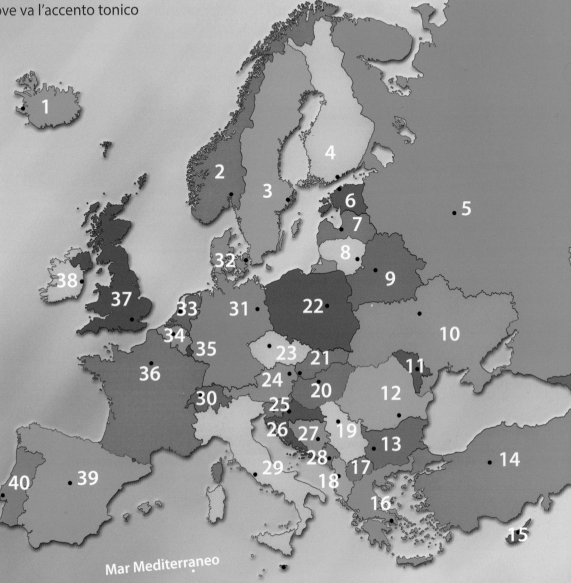

Mar Mediterraneo

13 Il tempo atmosferico

(23) Ascolta le frasi e, per ogni gruppo, scrivi l'espressione mancante, come nell'esempio.

c'è il sole

è sereno

fa caldo

1. <u>tira vento</u>

le nuvole

è nuvoloso / è variabile

2. _____

tira vento / c'è vento

3. _____

24

EDILINGUA

la pioggia

l'ombrello

piove

4. _____

la nebbia

il temporale

il fulmine

5. _____

nevica

la neve

fa freddo

il ghiaccio

6. _____

Feste e momenti speciali

(24) Ascolta le 4 interviste e indica le parole che senti.

☐ l'albero di Natale

☐ Il Natale (25/12)

☐ i regali

☐ Babbo Natale

☐ Il Capodanno (1/1)

☐ i fuochi d'artificio

☐ lo spumante

☐ la festa dell'ultimo dell'anno

☐ San Valentino (14/2)

☐ il mazzo di fiori

☐ la scatola di cioccolatini

☐ La Pasqua (marzo/aprile)

☐ il coniglio di cioccolato

☐ l'uovo di Pasqua

☐ Il Carnevale (febbraio)

☐ la maschera

☐ le stelle filanti

☐ i coriandoli

☐ il costume

☐ Il matrimonio

☐ la chiesa

☐ lo sposo

☐ la sposa

☐ il prete

☐ Il Ferragosto (15/8)

☐ la spiaggia

☐ i palloncini

☐ Il compleanno

☐ la torta

🎧 25 Per controllare le tue risposte ascolta le parole che non hai sentito.

I mezzi di trasporto

(26) Ascolta il testo e indica le parole che senti.

il filobus ☐

l'automobile / la macchina ☐

lo scooter ☐

il tram ☐

l'autobus ☐

la bicicletta ☐

il furgone ☐

il taxi / il tassì ☐

la moto / la motocicletta ☐

il fuoristrada ☐

la fermata della metropolitana ☐

la metro / la metropolitana ☐

l'aereo ☐

l'elicottero ☐

il treno ☐

la nave ☐

il ponte ☐

il motoscafo ☐

la barca ☐

il pullman ☐

il camion ☐

(27) Ascolta le parole che non hai sentito e segna l'accento tonico.

La classe

la carta geografica

il mappamondo

l'alunno/lo studente

il banco

il portapenne

lo zainetto

la cattedra

il temperamatite

la matita

il quaderno

l'astuccio

leggere

la squadra

EDILINGUA

la lavagna

$5 \times 1 = 5$
$5 \times 2 = 10$
$5 \times 3 = 15$
$5 \times 4 = 20$
$5 \times 5 = 25$
$5 \times 6 = 30$
$5 \times 7 = 35$
$5 \times 8 = 40$
$5 \times 9 = 45$
$5 \times 10 = 50$

$7 + 3 = 10$

$9 - 6 = 3$

$1 + 3 = 4$

$5 \times 5 =$

$0 + 8 = 16$

scrivere

il libro

l'alunna /
la studentessa

l'insegnante /
il maestro

la gomma

la penna

🎧 28 Ascolta e indica
se le frasi sono
vere o false.

1. V F
2. V F
3. V F
4. V F
5. V F
6. V F
7. V F
8. V F
9. V F

31

La stazione e l'aeroporto

🎧 (29) Ascolta e, per ogni luogo, indica l'ordine in cui senti le parole, come negli esempi.

☐ la biglietteria automatica

☐ il binario

☐ il marciapiede

1 le rotaie

☐ i passeggeri

a. La stazione ferroviaria

b. L'aeroporto

PARTENZE / DEPARTURES

☐ il banco informazioni

☐ il tabellone degli orari

☐ il banco del check-in

1 la sala d'attesa

☐ il bagaglio

☐ il carrello

la biglietteria

i tabelloni degli orari

l'obliteratrice

la fila

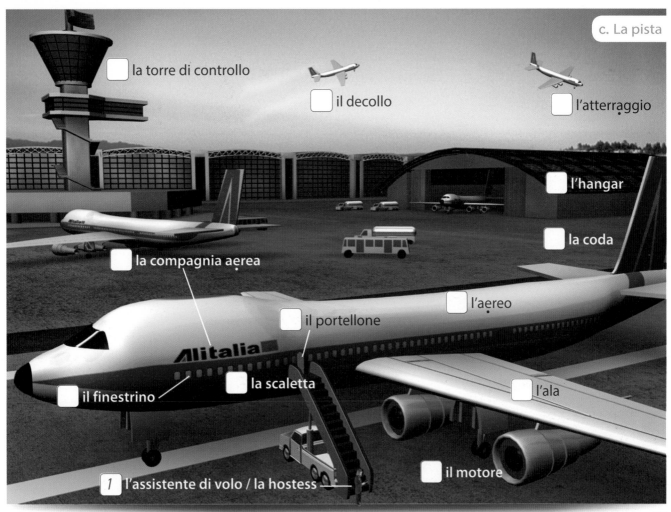

c. La pista

la torre di controllo

il decollo

l'atterraggio

l'hangar

la coda

la compagnia aerea

l'aereo

il portellone

la scaletta

l'ala

il finestrino

1 l'assistente di volo / la hostess

il motore

18 Al mare

Ascolta il testo e indica le parole che senti.

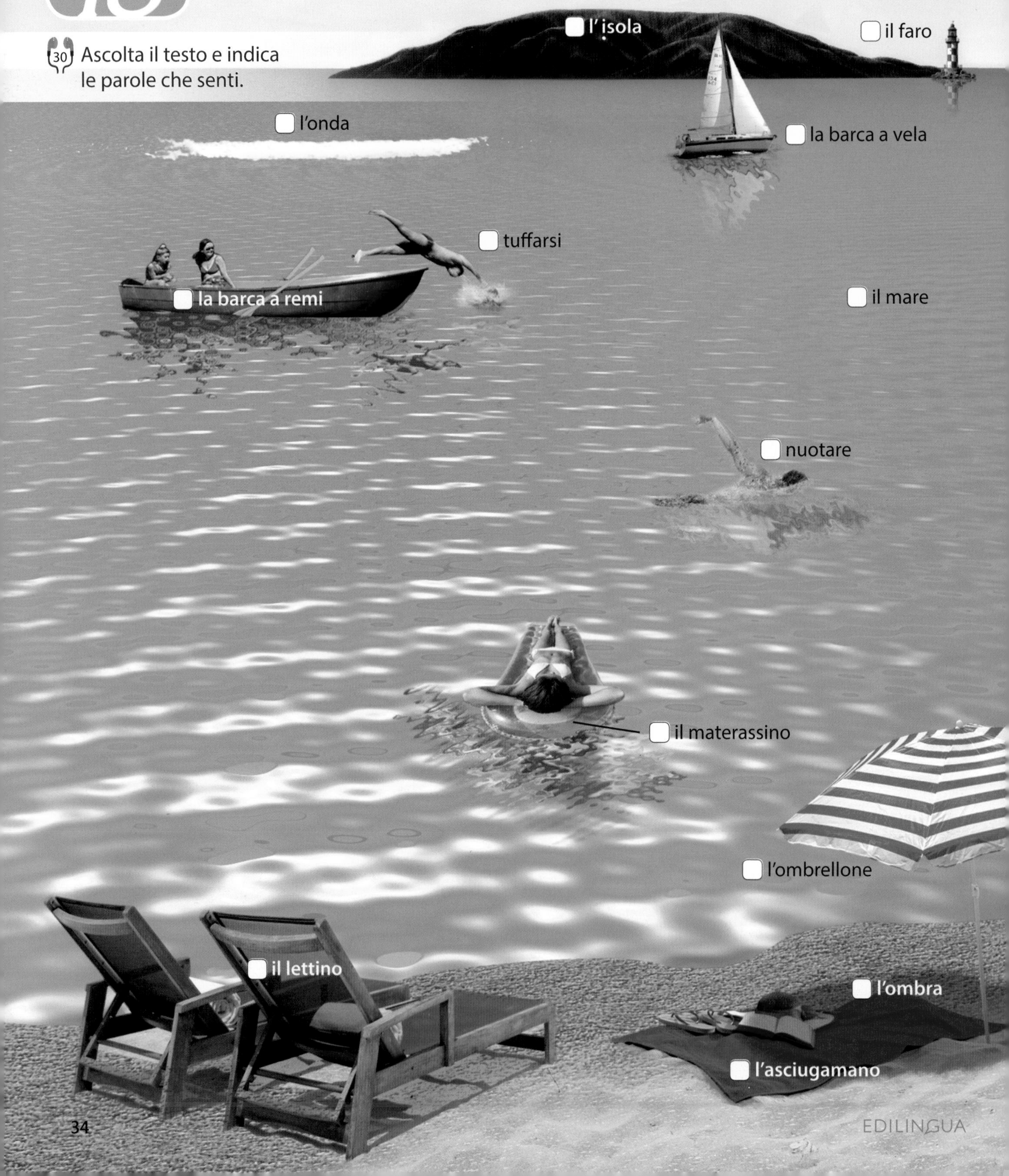
l'isola
il faro
l'onda
la barca a vela
tuffarsi
la barca a remi
il mare
nuotare
il materassino
l'ombrellone
il lettino
l'ombra
l'asciugamano

il porto

il windsurf

il gabbiano

lo scoglio

la maschera

la stella marina

la sabbia

la spiaggia

la sedia a sdraio

il salvagente

il pallone

le conchiglie

(31) Per controllare ascolta le parole che non hai sentito.

35

19

In montagna

32 Ascolta e indica l'ordine in cui senti le parole, come nell'esempio.

gli uccelli

il ghiacciaio

il capriolo

il bosco

il lago

il prato

lo zaino

l'erba

la roccia

l'anatra

lo scoiattolo

il fiume

EDILINGUA

l'aquila

1 la vetta

la montagna

la cascata

la collina

il sentiero

il cespuglio

la tenda

l'albero

il sacco a pelo

37

(33) Cosa fai nel tempo libero? Ascolta le 3 interviste e indica le parole e le espressioni che senti.

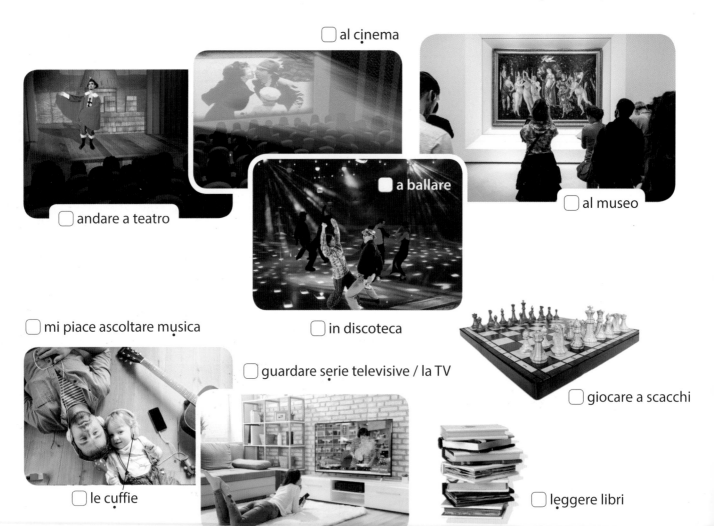

☐ uscire con gli amici

☐ andare al bar

☐ andare in pizzeria / a mangiare una pizza

☐ al cinema

☐ andare a teatro

☐ a ballare

☐ al museo

☐ mi piace ascoltare musica

☐ in discoteca

☐ guardare serie televisive / la TV

☐ giocare a scacchi

☐ le cuffie

☐ leggere libri

EDILINGUA

andare a correre

fare passeggiate

fare sport

giocare a calcio

andare in palestra

fare pesi

dipingere

amo la fotografia

la macchina fotografica

cucinare

fare giardinaggio

navigare in Internet

andare a pescare / a pesca

la canna da pesca

stare sui social media

giocare ai videogiochi

🎧 Per controllare le tue risposte ascolta le parole che non hai sentito.

21 Verbi e azioni

35 Osserva le immagini e ascolta le frasi. Sono vere o false?

1. (V) (F)

correre

2. (V) (F)

camminare

3. (V) (F)

bere

4. (V) (F)

scrivere

5. (V) (F)

studiare

6. (V) (F)

lavorare

7. (V) (F)

saltare

8. (V) (F)

cantare

9. (V) (F)

ballare

10. V F
leggere

11. V F
ridere

12. V F
chiacchierare

13. V F
telefonare

14. V F
aspettare

15. V F
pagare

16. V F
dormire

17. V F
ascoltare

18. V F
giocare

19. V F
cucinare

20. V F
piangere

21. V F
mangiare

🎧 36 Ascolta 2 dialoghi e indica le parole che senti.

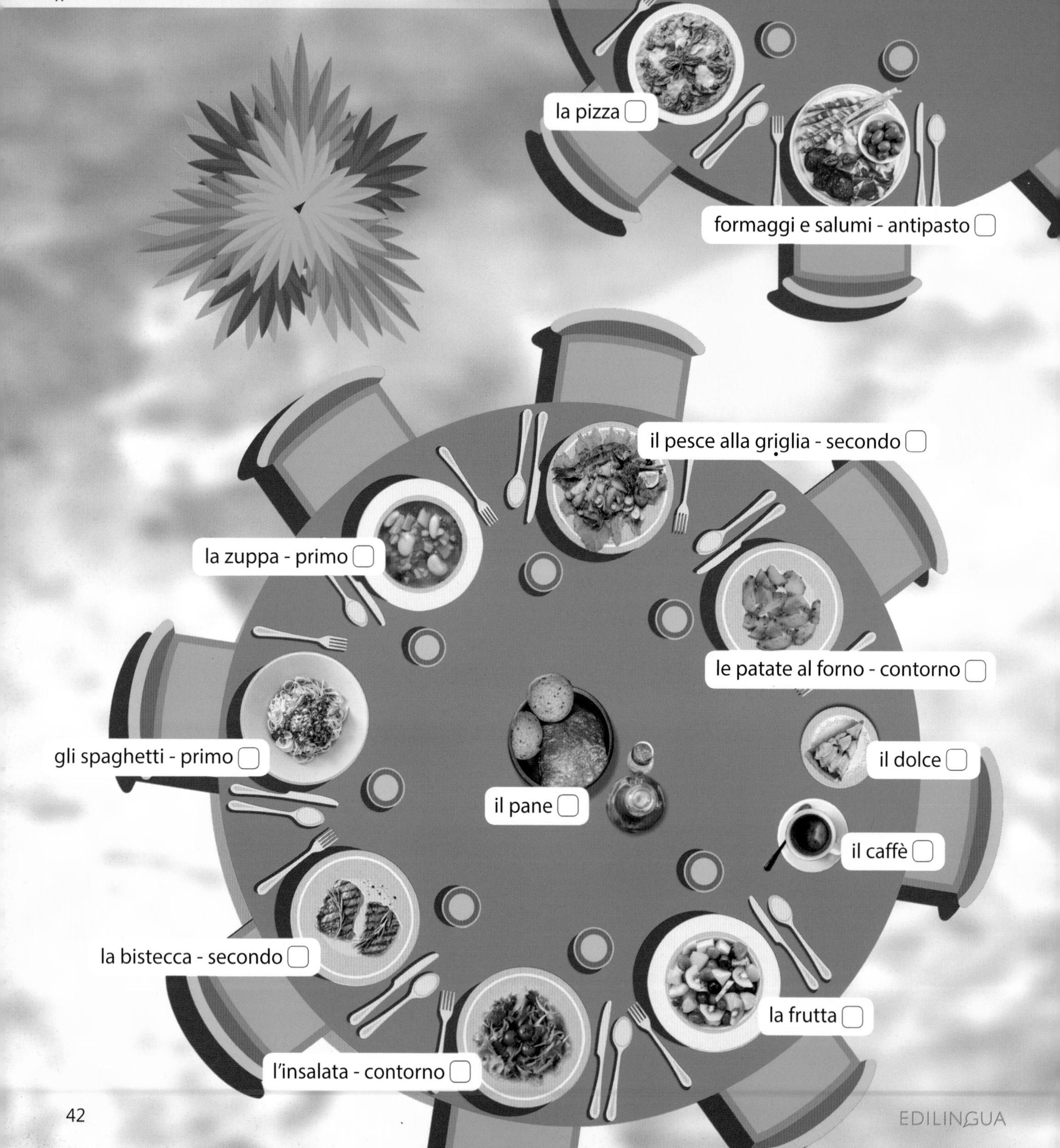

le bruschette - antipasto ☐

la pizza ☐

formaggi e salumi - antipasto ☐

il pesce alla griglia - secondo ☐

la zuppa - primo ☐

le patate al forno - contorno ☐

gli spaghetti - primo ☐

il dolce ☐

il pane ☐

il caffè ☐

la bistecca - secondo ☐

la frutta ☐

l'insalata - contorno ☐

la cameriera ☐

la cliente ☐

lo chef ☐

il menù ☐

la cucina ☐

il tavolo ☐

il vino bianco o rosso ☐

l'acqua naturale o frizzante ☐

il bicchiere ☐

il coltello ☐

la tovaglia ☐

il cucchiaino ☐

il piatto ☐

il cucchiaio ☐

la forchetta ☐

🎧37 Per controllare le tue risposte ascolta
le parole che non hai sentito.

(38) Ascolta e indica le parole che senti due volte.

☐ la corsa

☐ il salto in lungo

☐ l'atletica leggera

☐ il ciclismo

☐ la bicicletta

☐ la scherma

☐ il fioretto

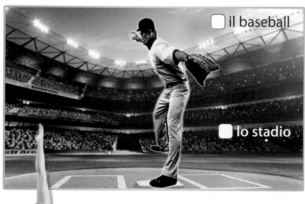

☐ il baseball

☐ lo stadio

☐ il tennis

☐ la racchetta

☐ la pallina

☐ la ginnastica artistica

☐ il calcio

☐ il campo

☐ il pallone

il salto in alto

lo snowboard

lo sci

gli sci

il rugby

i guantoni

il pugilato

l'equitazione

la piscina

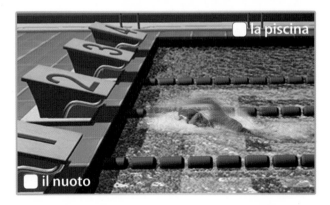

il nuoto

la pallavolo

la rete

la pallacanestro

il tabellone segnapunti

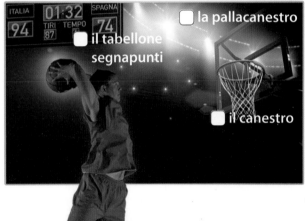

il canestro

il gatto

il canarino

la gabbia

il coniglio

il criceto

il pappagallo

il cucciolo

il cane

il guinzaglio

la boccia di vetro

il pesce rosso

il gattino

CHIUSO

39 Ascolta e indica
se le frasi sono
vere o false.

1. Ⓥ Ⓕ
2. Ⓥ Ⓕ
3. Ⓥ Ⓕ
4. Ⓥ Ⓕ
5. Ⓥ Ⓕ
6. Ⓥ Ⓕ
7. Ⓥ Ⓕ
8. Ⓥ Ⓕ

EDILINGUA

Gli animali della fattoria

(40) Ascolta e segna dove va l'accento tonico
nelle parole in blu.

il toro

il cavallo

il puledro

la mucca

l'asino

il vitello

la pecora

l'agnello

il maiale

il pollaio

la gallina

il gallo

l'oca

il pulcino

Al supermercato

 Ascolta il testo e indica le parole che senti.

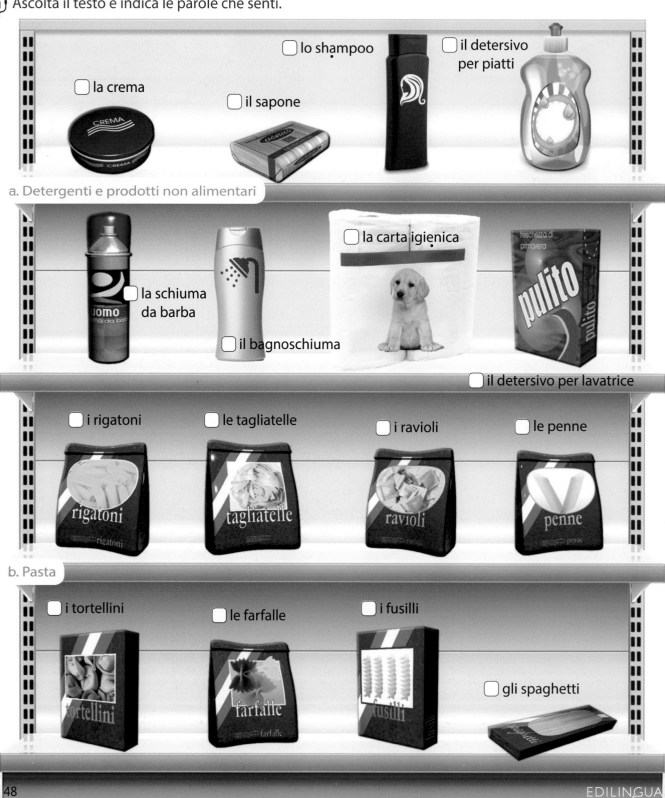

lo shampoo

il detersivo per piatti

la crema

il sapone

a. Detergenti e prodotti non alimentari

la carta igienica

la schiuma da barba

il bagnoschiuma

il detersivo per lavatrice

i rigatoni

le tagliatelle

i ravioli

le penne

b. Pasta

i tortellini

le farfalle

i fusilli

gli spaghetti

l'olio di oliva

il latte

lo yogurt

il burro

d. Latticini e formaggi

l'aceto

aceto

il pecorino

il parmigiano

la mozzarella

c. Alimentari vari

e. Carne e salumi

il caffè

caffè

il tonno

fresco

la carne

il prosciutto crudo

(42) Per controllare le tue risposte ascolta
le parole che non hai sentito.

la pancetta

cereali

cioccotti

cereali

la mortadella

il prosciutto cotto

i cereali

i biscotti

49

27

Al negozio di frutta e verdura

43 Ascolta e indica le parole che senti due volte.

☐ la cassetta

☐ le pesche

☐ i cavoli

☐ i limoni

☐ le pannocchie

☐ la zucca

☐ i pomodori

☐ l'aglio

☐ il cavolfiore

☐ il prezzemolo

☐ le carote

☐ le banane

☐ le melanzane

☐ le patate

☐ il broccolo

☐ le cipolle

EDILINGUA

la cassa

la bilancia

la fruttivendola

l'uva

le fragole

le arance

le ciliegie

il melone

le pere

le mele

i funghi

l'anguria /
il cocomero

i peperoni

28 Le professioni e i mestieri

🎧 (44) Ascolta le frasi e indica dove va l'accento tonico nelle parole in blu.

la modella

i fotografi

l'agente di polizia / il poliziotto

il medico

l'infermiera

la segretaria

la ballerina

il barista

la cameriera

il meccanico

il muratore

il cuoco

EDILINGUA

il pompiere / il vigile del fuoco

la farmacista

l'operaio

l'ingegnere

l'impiegato di banca

la cantante

l'insegnante

il regista

l'attore

l'attrice

la commessa

29  I contrari

 Ascolta le frasi e indica se sono vere o false.

corta

1. Ⓥ Ⓕ

lunga

vecchio

nuovo / moderno

2. Ⓥ Ⓕ

caldo

3. Ⓥ Ⓕ

freddo

vuoto

4. Ⓥ Ⓕ pieno

aperto

chiuso

5. Ⓥ Ⓕ

leggero

6. Ⓥ Ⓕ

pesante

anziani

giovani

7. V F

grasso

magra

8. V F

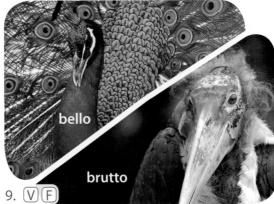

bello

brutto

9. V F

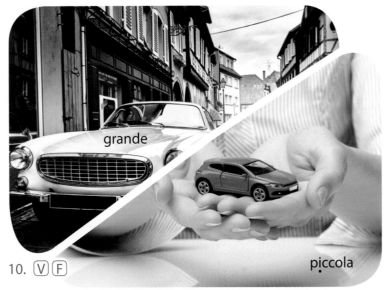

grande

piccola

10. V F

lenta

veloce

11. V F

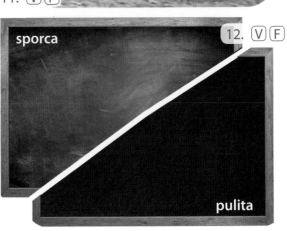

sporca

12. V F

pulita

alto

basso

13. V F

molti

pochi

14. V F

30

Vestiti e accessori 1

(46) Ascolta il dialogo e indica le parole che senti.

- ☐ il costume da bagno
- ☐ il cappello
- ☐ il vestito
- ☐ la camicia a maniche corte
- ☐ i bermuda / i pantaloni corti
- ☐ la maglietta
- ☐ le ciabatte
- ☐ la canotta
- ☐ i pantaloncini

EDILINGUA

la camicia a maniche lunghe

la giacca

la camicetta

la gonna

i jeans

il completo da uomo

i pantaloni

le scarpe

i sandali

la collana

gli orecchini

gli occhiali da vista

gli occhiali da sole

gli stivali

le scarpe da ginnastica

le scarpe con il tacco

Per controllare la tue risposte ascolta le parole che non hai sentito.

(48) Ascolta i 3 dialoghi al negozio di abbigliamento e indica le parole che senti.

la camicetta ☐

i pantaloni ☐

il bottone ☐

l'orologio ☐

la sciarpa ☐

la minigonna ☐

il cappotto ☐

le calze ☐

l'impermeabile ☐

gli anfibi / gli stivali ☐

EDILINGUA

il berretto

il giubbotto

i guanti

il maglione

la cintura

la cravatta

la borsa

l'ombrello

lo zaino

i calzini

il marsupio

il portafoglio

🎧 49 Per controllare la tue risposte ascolta le parole che non hai sentito.

32

La città e i negozi

Ascolta i 3 dialoghi e
indica le parole che senti.

- il negozio di abbigliamento
- il bar
- il cinema
- la banca
- il negozio di fiori
- il centro commerciale
- il bancomat
- la fermata dell'autobus
- la fontana
- la piazza
- la cabina telefonica
- l'agenzia di viaggi
- il marciapiede
- il negozio di scarpe
- la libreria
- la strada
- il semaforo

60

il parrucchiere

la chiesa

la farmacia

la pizzeria

euroMARKET

il supermercato

l'edificio / il palazzo

la posta / l'ufficio postale

la pista ciclabile

la buca per le lettere

il forno / la panetteria

la pescheria

l'edicola / il giornalaio

l'incrocio

il negozio di elettrodomestici

le strisce pedonali

la gioielleria

la pasticceria

(51) Per controllare le tue risposte ascolta le parole che non hai sentito.

61

Elettrodomestici e apparecchi

(52) Ascolta e scrivi la parola estranea per ogni stanza.

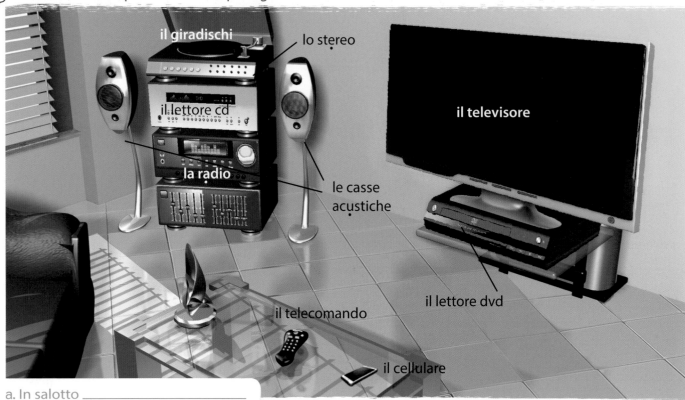

il giradischi
lo stereo
il lettore cd
il televisore
la radio
le casse acustiche
il lettore dvd
il telecomando
il cellulare

a. In salotto _____

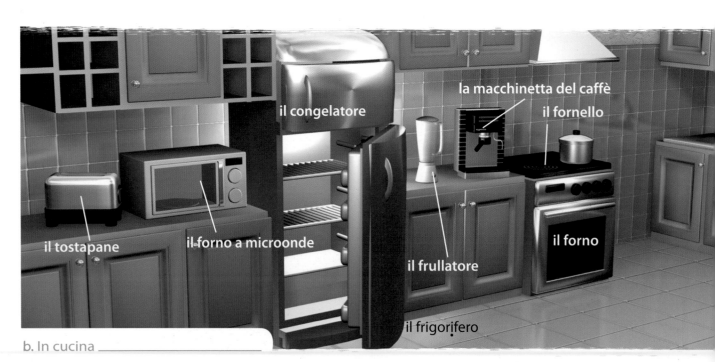

il congelatore
la macchinetta del caffè
il fornello
il tostapane
il forno a microonde
il frullatore
il forno
il frigorifero

b. In cucina _____

EDILINGUA

c. Nello studio

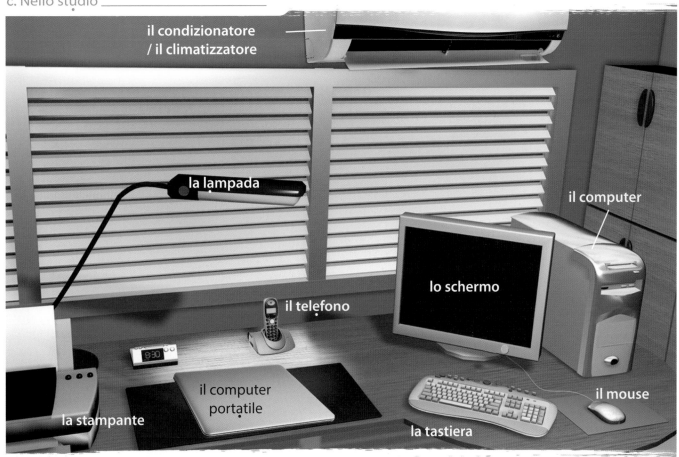

il condizionatore / il climatizzatore

la lampada

il computer

lo schermo

il telefono

il computer portatile

la stampante

la tastiera

il mouse

d. In ripostiglio

la lavastoviglie

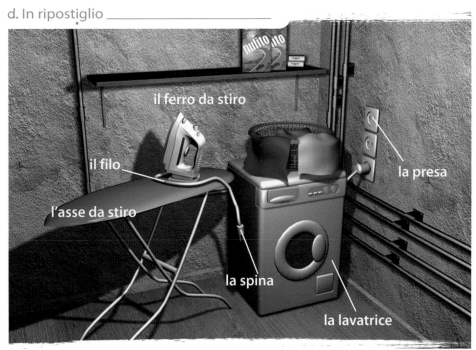

il ferro da stiro

il filo

l'asse da stiro

la presa

la spina

la lavatrice

34 Gli animali selvatici

(53) Ascolta e indica dove va l'accento tonico nelle parole in **blu**.

a. Nel mare

la medusa

il delfino

la foca

b. Al bioparco

la giraffa

la zebra

il gorilla

il coccodrillo

l'elefante

c. Nel bosco

la volpe

il lupo

la lepre

la tartaruga

il pescecane / lo squalo

la balena

il granchio

i pesci

il polipo

il cammello

il rinoceronte

il leone

lo struzzo

la tigre

l'orso

il cervo

la rana

il serpente

54 Ascolta la descrizione e indica l'ordine in cui senti le parole.

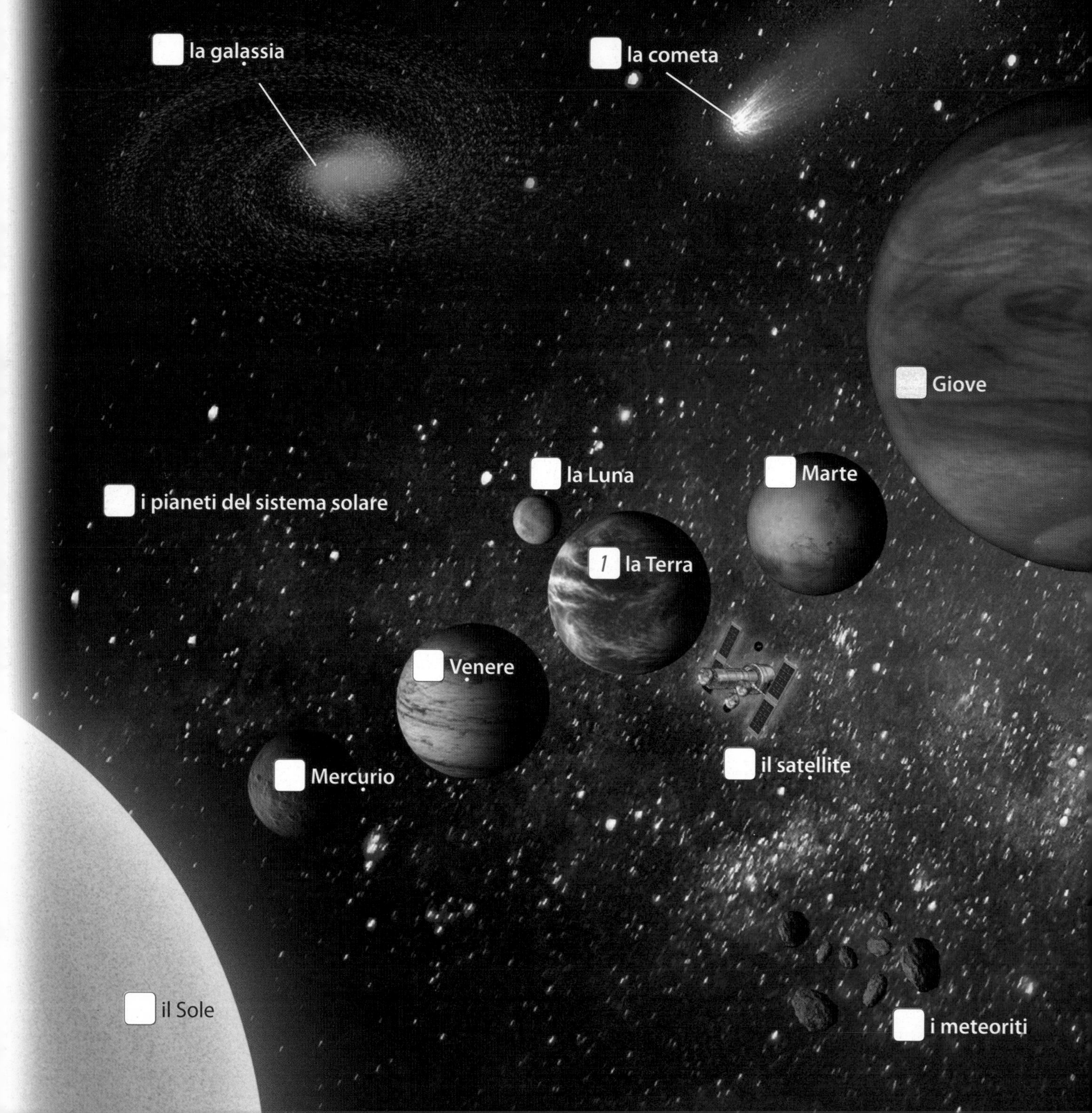

☐ la galassia

☐ la cometa

☐ Giove

☐ i pianeti del sistema solare

☐ la Luna

☐ Marte

1 la Terra

☐ Venere

☐ Mercurio

☐ il satellite

☐ il Sole

☐ i meteoriti

Nettuno

Saturno

Urano

l'astronave

le stelle

la stazione spaziale

la navicella spaziale

l'astronauta

La macchina e i segnali stradali

Ascolta e indica le parole che senti due volte.

La macchina

☐ lo specchietto retrovisore

☐ il tachimetro

☐ il parabrezza

☐ il clacson

☐ il volante

☐ il portaoggetti

☐ la radio
FM 100,3

☐ la frizione

☐ il climatizzatore

☐ il freno

☐ l'acceleratore

☐ il cambio

☐ il freno a mano

☐ il tergicristallo

☐ il fanale

☐ il cofano

☐ la targa

☐ la freccia

I segnali stradali

- ☐ curva pericolosa
- ☐ divieto di accesso
- ☐ limite di velocità
- ☐ direzione obbligatoria
- ☐ sosta vietata
- ☐ attraversamento pedonale
- ☐ lavori in corso
- ☐ divieto di sorpasso

- ☐ l'antenna
- ☐ la cintura di sicurezza
- ☐ il sedile
- ☐ il bagagliaio
- ☐ il finestrino
- ☐ lo specchietto
- ☐ la maniglia
- ☐ l'asfalto
- ☐ la portiera
- ☐ il paraurti
- ☐ la gomma

57 Guarda le immagini, poi ascolta e scrivi l'espressione estranea per ogni gruppo di parole.

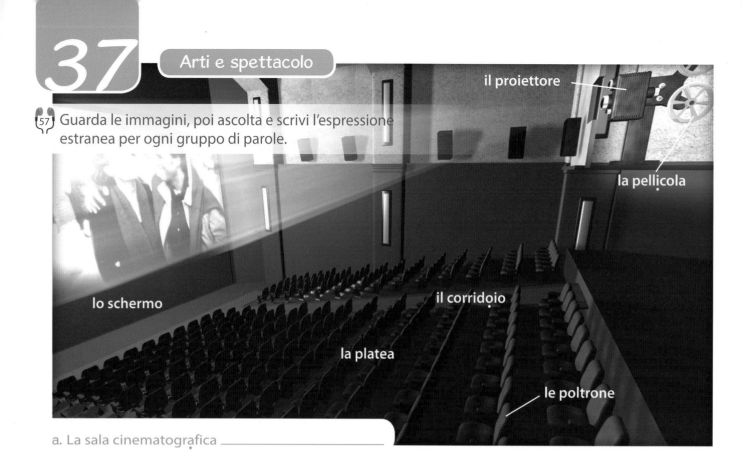

il proiettore

la pellicola

lo schermo

il corridoio

la platea

le poltrone

a. La sala cinematografica _____

b. I generi cinematografici _____

un cartone animato, un film d'animazione

un film d'azione

una commedia

un western

un film dell'orrore

un film di fantascienza

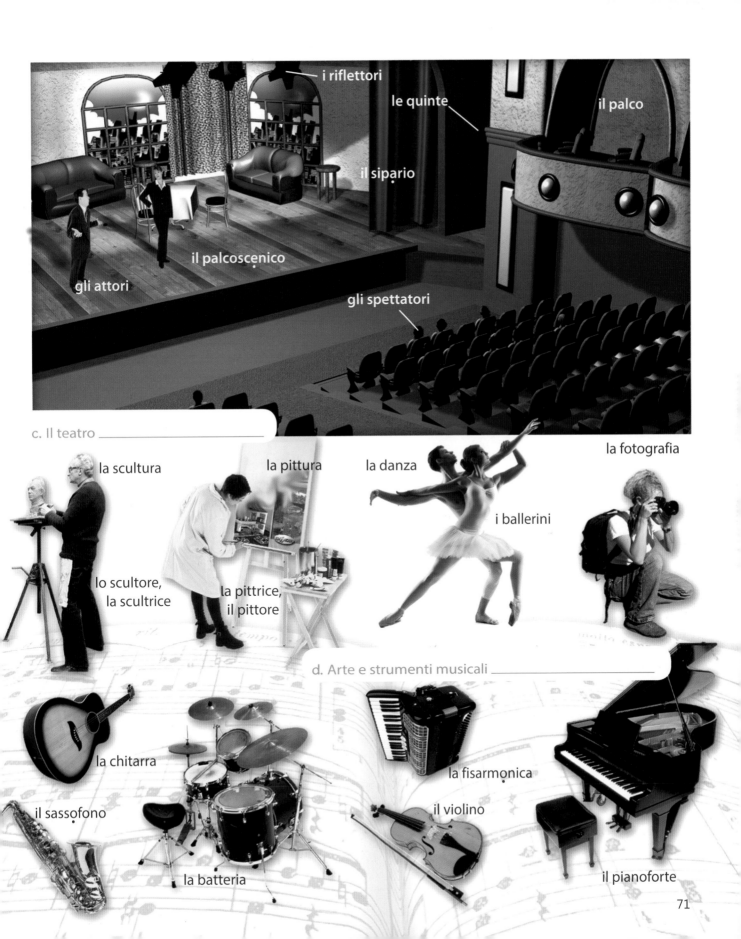

i riflettori

le quinte

il palco

il sipario

il palcoscenico

gli attori

gli spettatori

c. Il teatro

la scultura

la pittura

la danza

la fotografia

i ballerini

lo scultore, la scultrice

la pittrice, il pittore

d. Arte e strumenti musicali

la chitarra

la fisarmonica

il sassofono

il violino

la batteria

il pianoforte

38 I colori e le forme

58 Ascolta e indica le parole che senti due volte.

- [ ] il bianco
- [ ] l'azzurro
- [ ] il grigio
- [ ] il blu
- [ ] il nero
- [ ] la tavolozza
- [ ] il verde
- [ ] il giallo
- [ ] il cavalletto
- [ ] il marrone
- [ ] l'arancione
- [ ] il rosso

- [ ] la sfera
- [ ] il cubo
- [ ] il cilindro

- [ ] il cerchio
- [ ] il triangolo
- [ ] il quadrato
- [ ] il rettangolo
- [ ] il pentagono

72

EDILINGUA

[59] Ascolta il dialogo e indica le parole che senti.

☐ l'assicurata

☐ il destinatario

☐ il mittente

☐ la raccomandata

☐ la cartolina

☐ la borsa del postino

☐ il francobollo

☐ la posta prioritaria

☐ il pacco

☐ l'indirizzo

☐ il codice postale

☐ la lettera

☐ il telegramma

☐ la busta

[60] Per controllare le tue risposte ascolta le parole che non hai sentito.

🎧 (61) Ascolta il testo sul riciclo creativo e indica le parole che senti.

il sacco ☐

la tazza ☐

il tubetto ☐

il barile ☐

la scatoletta ☐

il secchio ☐

la bomboletta ☐

il cestino ☐

il pacchetto ☐

il vaso ☐

il barattolo ☐

la scatola ☐

la lattina ☐

il bicchiere ☐

il sacchetto ☐

la borraccia ☐

la bottiglia ☐

🎧 (62) Per controllare la tue risposte ascolta le parole che non hai sentito.

Nuovo Vocabolario Visuale

Eserciziario

il negozio di abbigliamento

la chiesa

la farmacia

la pizzeria

euroMARKET

CREDITO

la banca

il supermercato

l'edificio / il palazzo

centro commerciale

il bancomat

la posta / l'ufficio postale

la fermata dell'autobus

la pista
ciclabile

la buca per
le lettere

l'edicola /
il giornalaio

il forno / la
panetteria

la pescheria

l'incrocio

onica

il negozio di elettrodomestici

le strisce
pedonali

il negozio di scarpe

la pasticceria

a Scrivi i numeri in lettere, come nell'esempio.

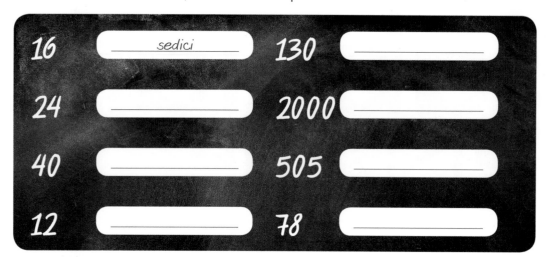

16	_sedici_	130	_____
24	_____	2000	_____
40	_____	505	_____
12	_____	78	_____

b Completa.

5 + 10 = 15   *cinque più dieci uguale quindici*

80 : 2 = 40   _____

_____   *nove per tre uguale ventisette*

2000 - 300 = 1.700   _____

c Scrivi i numeri in lettere e le lettere in numeri.

5°   _____*quinto*_____

9°   _____

_____ ventitreesimo

21°   _____

_____ settimo

100°   _____

2 La famiglia

a Risolvi gli anagrammi come nell'esempio in blu.

1. DRE-MA → <u>MADRE</u>
2. LA-REL-SO → _ _ _ _ _ _ _
3. GI-CU-NA → _ _ _ _ _ _
4. DRE-PA → _ _ _ _ _
5. NI-NON → _ _ _ _ _
6. RI-GE-NI-TO → _ _ _ _ _ _ _ _
7. GLIO-FI → _ _ _ _ _ _
8. NO-TEL-LI-FRA → _ _ _ _ _ _ _ _ _ _

b Completa le frasi.

1. Questa è mia _____ Laura, la figlia di mia zia.

2. Questo è mio zio, cioè il _____ di mia zia.

3. Ecco mia _____, cioè la madre di mia madre.

4. Ecco i figli dei miei zii: Marco e sua _____ Lidia.

5. Questi sono i miei _____: mio padre e mia madre.

6. Antonio è il _____ del mio papà, quindi è mio zio.

a Abbina le parole alle immagini. Attenzione: ci sono 2 parole in più!

bagno _____ tetto _____ giardino _____ cucina _____ balcone _____

sala da pranzo __1__ finestra _____ camera da letto _____ studio _____ salotto _____

b Trova le parole relative alla casa, poi metti in ordine le lettere rimaste e forma la parola per completare la frase.

Casa mia è molto grande: ha molte _ _ _ _ _ _ e un giardino pieno di fiori.

portancomignolosantennaatendazsoffittatingressoeabbaino

EDILINGUA

4

Stanze e mobili

a Completa il cruciverba.

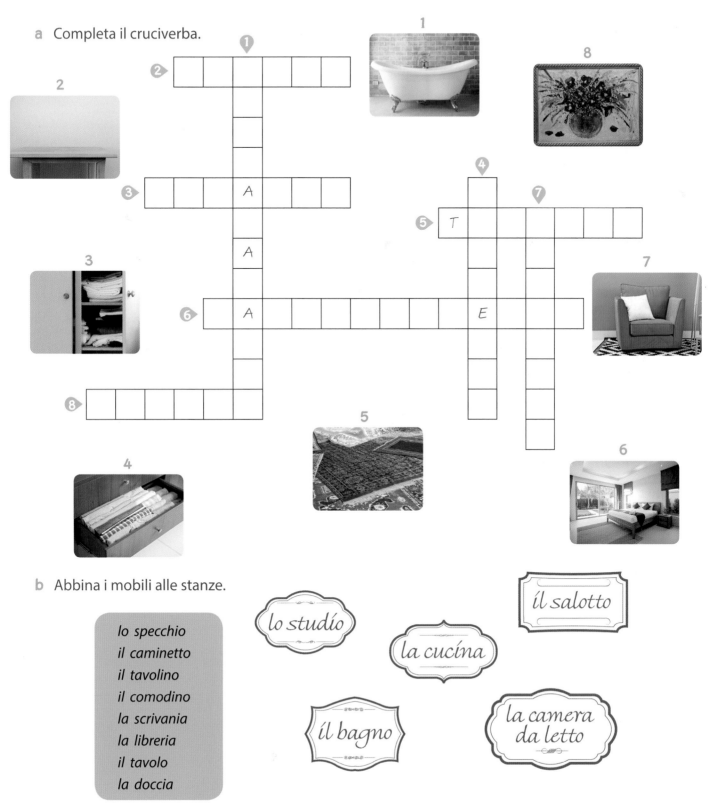

b Abbina i mobili alle stanze.

lo specchio
il caminetto
il tavolino
il comodino
la scrivania
la libreria
il tavolo
la doccia

lo studio

il salotto

la cucina

il bagno

la camera da letto

79

Il corpo umano

a Scrivi in ogni casella la parola corrispondente.

mano ◆ ascella ◆ ginocchio ◆ caviglia ◆ coscia ◆ braccio ◆ petto ◆ pancia ◆ polpaccio

9.

1.

8.

2.

7.

3.

6.

4.

5.

b Completa le parole.

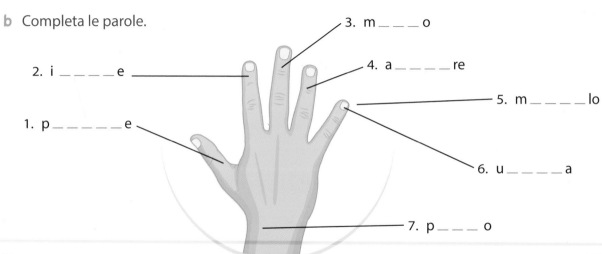

3. m _ _ _ o

2. i _ _ _ _ e

4. a _ _ _ _ _ re

5. m _ _ _ _ lo

1. p _ _ _ _ _ e

6. u _ _ _ _ a

7. p _ _ _ o

c Scegli la parola corretta.

1. collo / schiena

7. piede / testa

2. piede / schiena

6. spalla / gamba

3. spalla / gamba

5. mano / gomito

4. piede / gamba

d Abbina ogni parola al numero corrispondente. Attenzione: ci sono due parole in più.

naso _____   fronte _____   orecchio _____

bocca _____   occhio _____   capelli _____

mento _____   gomito _____   specchio _____

1

2

3

4

5

6

7

6 L'ora

a A che ora?

1. _____alle otto e quaranta_____
   _____(alle nove meno venti)_____ — 8.40

2. _____
   _____ — 10.15

3. _____
   _____ — 13.45

4. _____
   _____ — 14.20

5. _____
   _____ — 17.50

6. _____
   _____ — 19.30

Febbraio
13

b Disegna l'ora.

1. Sono le tre e un quarto.

2. Sono le sei e trentacinque.

3. Sono le undici meno un quarto.

4. È l'una meno dieci.

7 Le parti del giorno

Metti le parole nella casella corrispondente. Attenzione: manca una parola!

tramonto • notte • mezzanotte • alba • sera • mezzogiorno • mattina

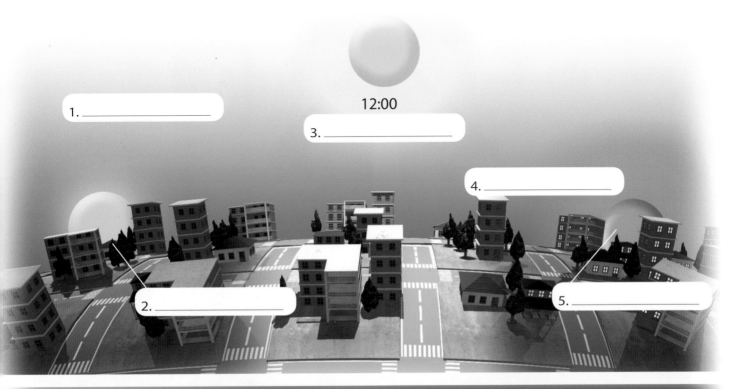

1. _____

12:00

3. _____

4. _____

2. _____

5. _____

6. _____sera_____

24:00

7. _____

8. _____

Dov'è?

a Dove sono i gatti?

- Il gatto n. 1 è _____*dietro*_____ la poltrona.
- Il gatto n. 2 è _____ poltrona.
- Il gatto n. 3 è _____ alla poltrona
- Il gatto n. 4 è _____ la poltrona e il divano.
- Il gatto n. 5 è _____ il tavolino.
- Il gatto n. 6 è _____ il tavolino.

- Il gatto n. 7 è _____ alla pianta.
- Il gatto n. 8 è _____*fuori*_____ della scatola.
- Il gatto n. 9 è _____ la scatola.

EDILINGUA

b Dove sono? Scegli l'espressione adatta.

1. in alto / vicino
2. in centro / in fondo
3. in basso / lungo
4. a sinistra / sopra
5. a destra / sotto
6. in fondo / lungo
7. vicino / dietro

Giorni, mesi e stagioni

a Completa con i giorni della settimana.

giovedì

b Completa con i nomi delle stagioni e dei mesi.

settembre

inverno

luglio

maggio

a   Come si chiamano i continenti?

4. _____

1. _____

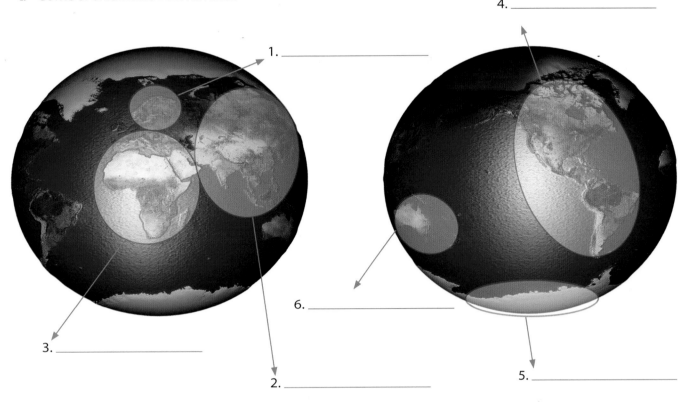

3. _____

6. _____

2. _____

5. _____

b   Trova altre 8 parole relative alla geografia. Cerca in orizzontale.

```
A L O C E A N O P R T O S A E U R O P E I E R T U N O
I S T E P A C I F I C O P T E R L F U G O F A R O V E S T
E T R O L A I N D D A N O L E N F A N T I N D I A N O
U R O E S A T C E E S T O E T R E L L O R T E N O R D
A S F L A T L A N T I C O P O L O N O R D L A S T R I O
```

a A quale numero corrispondono queste regioni?

Sicilia _____   Veneto _____   Toscana _____   Campania _____   Lazio _____

Lombardia _____   Umbria _____   Emilia Romagna _____   Calabria _____

b Inserisci le città nelle caselle corrispondenti.
Attenzione: ci sono due città in più!

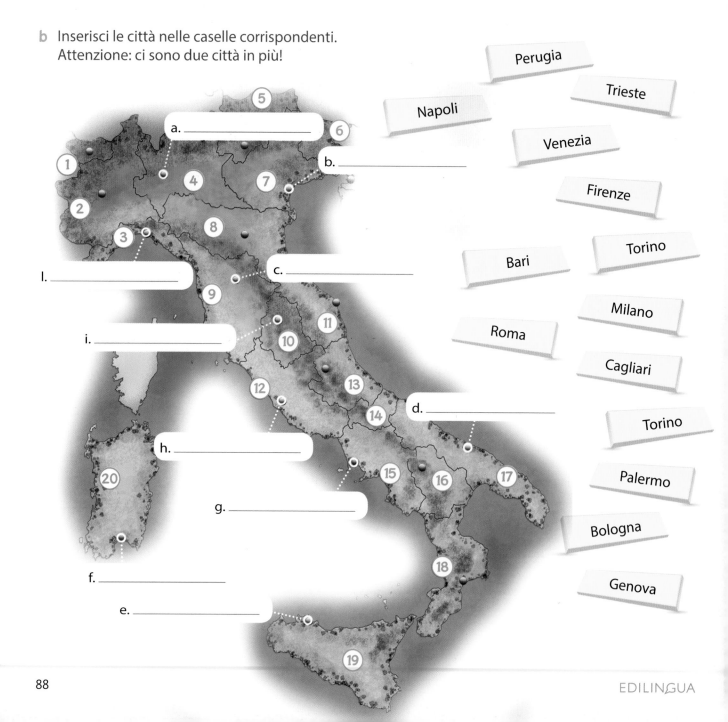

Perugia

Trieste

Napoli

Venezia

Firenze

Bari

Torino

Milano

Roma

Cagliari

Torino

Palermo

Bologna

Genova

EDILINGUA

Gli stati dell'Europa

Completa il nome dei Paesi.

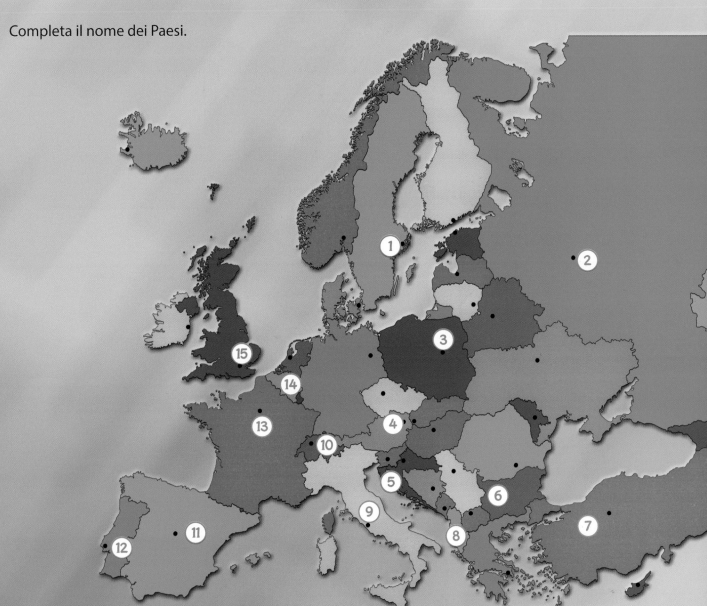

1. S _ _ _ _ _
2. R _ _ _ _ _ _
3. _ _ _ _ n _ _
4. _ u _ _ _ _ _
5. _ _ _ _ z _ _

6. _ _ l _ _ _ _ _
7. _ _ _ _ h _ _
8. _ _ _ _ _ i _
9. I _ _ _ _ _
10. _ v _ _ _ _ _ _

11. _ _ _ g _ _
12. _ _ _ _ _ _ _ _ l l _
13. _ _ _ _ _ _ i _
14. _ _ _ g _ _
15. _ _ g _ _   _ _ _ _ _

a Che tempo fa?

1. _____

2. _____

3. _____

4. _____

5. _____

6. _____

a Scegli l'alternativa corretta

1. vento / neve

2. ghiaccio / fulmine

3. nuvole / pioggia

4. sole / nuvole

5. neve / temporale

6. pioggia / nebbia

EDILINGUA

14   Feste e momenti speciali

a Abbina le parole alle immagini.

1

2

3

4

matrimonio

Natale

Ferragosto

Pasqua

Capodanno

compleanno

San Valentino

Carnevale

8

7

6

5

b Cosa o chi sono?

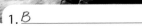
1. B_____

2. c_____

3. f_____

5. s_____

4. p_____

6. r_____

91

I mezzi di trasporto

a Vero o falso?

1. è un furgone V F
2. è una moto V F
3. è un filobus V F
4. è una barca V F

b Abbina le parole alle immagini. Attenzione: ci sono 4 immagini in più!

elicottero ___

scooter ___

autobus ___

nave ___

taxi ___

macchina ___

tram ___

filobus ___

EDILINGUA

16 A scuola

a Cosa sono? Completa con articolo e sostantivo.

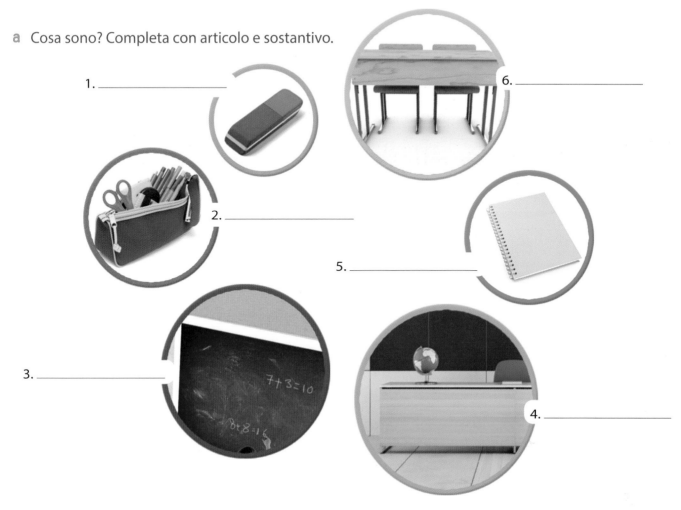

1. _____

2. _____

3. _____

4. _____

5. _____

6. _____

b Abbina le parole alle immagini. Ci sono 2 parole in più!

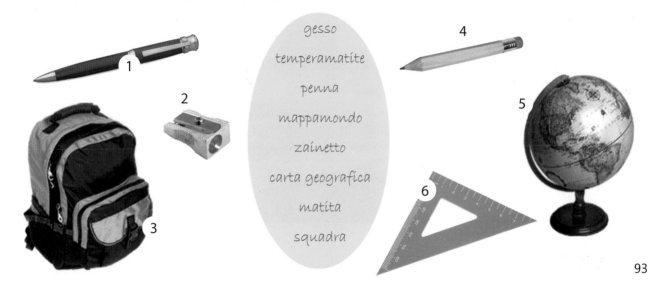

gesso

temperamatite

penna

mappamondo

zainetto

carta geografica

matita

squadra

La stazione e l'aeroporto

a Abbina le parole all'immagine corrispondente, come nell'esempio. Attenzione: c'è una parola in più e alcune parole vanno bene per tutte e due le immagini.

1. La stazione

2. L'aeroporto

rotaie _1_   binario ___

banco del check-in ___   ponte ___

treno ___   carrello ___

passeggero ___   bagaglio ___

biglietteria ___   marciapiede ___

b Abbinamenti. Trova e correggi gli errori, come nell'esempio.

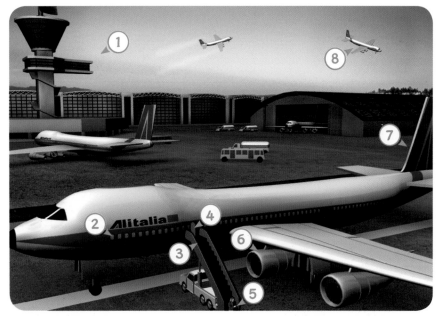

1. il decollo:
   la torre di controllo

2. la finestra:
   _____

3. la scala:
   _____

4. la porta:
   _____

5. l'assistente di volo:
   _____

6. lo scooter:
   _____

7. la fila:
   _____

8. l'atterraggio:

18 Al mare

a Completa le parole.

1. _m_ _ _ _ _ _ _ _ _ _ _n_ _
2. _f_ _ _ _
3. _ _ _b_ _b_ _ _ _ _
4. _s_ _a_ _ _ _ _ _e_ _ _ _
5. _p_ _ _ _ _
6. _ _ _ _ _ _ _e_
7. _a_ _ _ _ _ _g_ _ _ _ _
8. _s_ _a_ _ _ _ _
9. _ _ _t_ _t_ _ _ _
10. _m_ _ _ _ _ _r_ _
11. _ _ _b_ _ _ _ _ _ _e_
12. _ _ _ _l_ _

b Che cosa sono? Per trovare la soluzione collega le parole dei due insiemi.

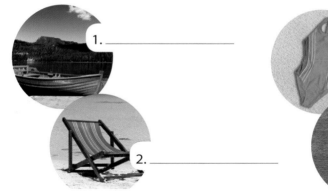

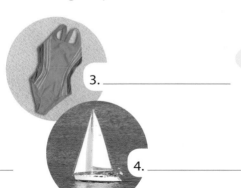

1. _____

2. _____

3. _____

4. _____

barca   sedia
costume   barca

a sdraio   da bagno
a vela   a remi

19 In montagna

a Abbina le parole alle immagini. Attenzione: ci sono due parole in più!

1	
2	
3	

collina

sentiero

ghiacciaio

prato

vetta

cascata

bosco

lago

4	
5	
6	

b Scegli l'alternativa corretta.

1. albero / cespuglio
2. tenda / sacco a pelo
3. scoiattolo / cespuglio
4. roccia / fiume
5. bosco / erba
6. aquila / anatra

EDILINGUA

20 Tempo libero e passatempi

a Abbina le azioni alle immagini.

1

2

3

4

5

6

7

uscire con gli amici

guardare la tv

dipingere

giocare a calcio

fare giardinaggio

fare una passeggiata

andare a correre

b Rispondi alle domande.

1. Dove possiamo mangiare una pizza? _In _____
2. Dove possiamo bere un caffè? _____
3. Dove possiamo vedere un film? _____
4. Dove possiamo fare sport? _____
5. Dove possiamo vedere quadri e opere d'arte? _____

c Trova altre parole relative ai passatempi nel parolone. Le lettere che rimangono formano il passatempo più amato dagli italiani: __ __ __ __ __ __ __ __ __ __ __

socialmediacrandareapescaufarepesicigiocareaivideogiochivefotografiarbcuffiea

a Che cosa fanno queste persone? Abbina i verbi alle immagini. Attenzione: ci sono 2 verbi in più!

bere

leggere

chiacchierare

cucinare

studiare

aspettare

giocare

lavorare

1. _____

2. _____

3. _____

4. _____

5. _____

6. _____

b Completa con i verbi all'infinito.

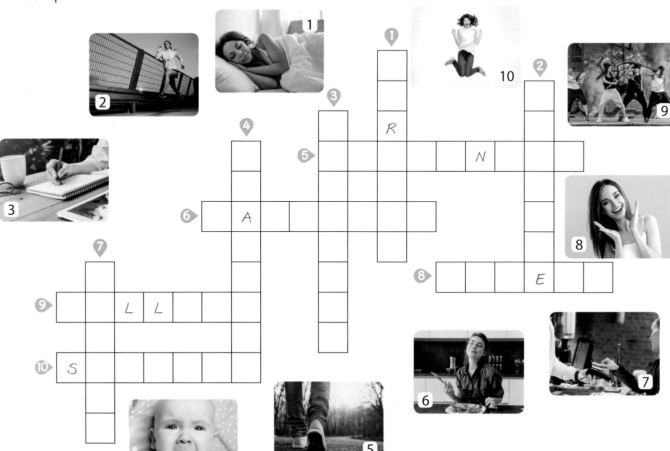

10

R

N

A

E

L L

S

EDILINGUA

a Osserva l'immagine e scrivi a quale numero corrisponde ogni oggetto.

tovaglia ___   cucchiaio ___   forchetta ___   cucchiaino ___

coltello ___   bottiglia ___   bicchiere ___   piatto ___   acqua ___

b Risolvi gli anagrammi come nell'esempio in blu: sono persone, luoghi, cibi e cose che puoi trovare al ristorante.

1. NDO-SE-CO → *SECONDO*

2. GHET-SPA-TI → _ _ _ _ _ _ _ _ _

3. STO-AN-PA-TI → _ _ _ _ _ _ _ _ _

4. TE-CA-BIS-C → _ _ _ _ _ _ _

5. ME-CA-RA-RIE → _ _ _ _ _ _ _ _ _

6. TA-FRUT → _ _ _ _ _ _

7. CI-NA-CU → _ _ _ _ _ _

8. TE-CLIEN → _ _ _ _ _ _ _

9. FÈ-CAF → _ _ _ _ _

10. NÙ-ME → _ _ _ _

c Completa il cruciverba. Nella colonna colorata scopri il nome di un piatto italiano molto famoso. I suoi ingredienti sono: pomodoro, mozzarella e basilico.

100

23 Lo sport

a Come si chiamano gli sport raffigurati nelle immagini?

1. _____

2. _____

3. _____

4. _____

5. _____

6. _____

b Che cosa sono? Completa le parole.

1. _ _ n _ _ _ _ _

2. _ _ _ _ _ _ t t _

3. b _ _ _ _ _ _ _ _ a

4. _ _ s c _ _ _ _

5. _ _ _ _

6. _ u _ _ t _ _ _

7. r a _ _ _ _ _ _ _

8. _ _ _ _ _ n _

Al negozio di animali

a Completa le parole, poi abbina le parole alle immagini.

1

3

_ _ _ _ _ n o

_ _ _ _ _ _ _ _

_ _ _ _ g l i o

2

4

_ _ _ c e _ _

b Cerchia le parole relative agli oggetti o agli animali delle immagini. Attenzione: ci sono parole anche al contrario. Con le lettere rimaste forma la risposta.

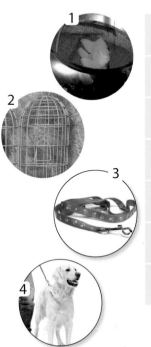

A	B	O	C	C	I	A	N	I	M
A	L	I	G	A	B	B	I	A	D
G	U	I	N	Z	A	G	L	I	O
O	L	L	A	G	A	P	P	A	P
O	M	E	C	A	N	E	S	T	I
O	S	S	O	R	E	C	S	E	P
C	C	U	C	C	I	O	L	O	I

Cosa vende il negozio di animali? _ _ _ _ _ _ _ _   _ _ _ _ _ _ _ _ _

25 Gli animali della fattoria

a Come si chiamano questi animali?

1. c _____

2. p _____

3. p _____

4. a _____

5. a _____

6. t _____

7. m _____

8. v _____

b Scrivi i nomi degli animali o degli oggetti.

1. _ _ _ _

2. _ _ _ _ _

3. _ _ _ _ _ _

4. _ _ _ _ _ _ _ _

5. _ _ _ _ _ _ _

6. _ _ _ _ _ _ _

a Abbina le parole alle immagini. Attenzione: ci sono 2 parole in più!

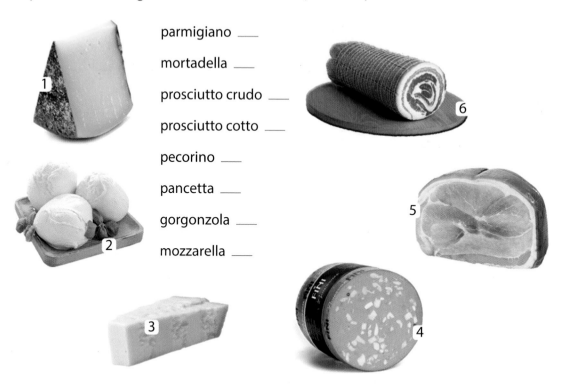

parmigiano ___

mortadella ___

prosciutto crudo ___

prosciutto cotto ___

pecorino ___

pancetta ___

gorgonzola ___

mozzarella ___

b Come si chiamano questi tipi di pasta? Trova i nomi nel crucipuzzle.

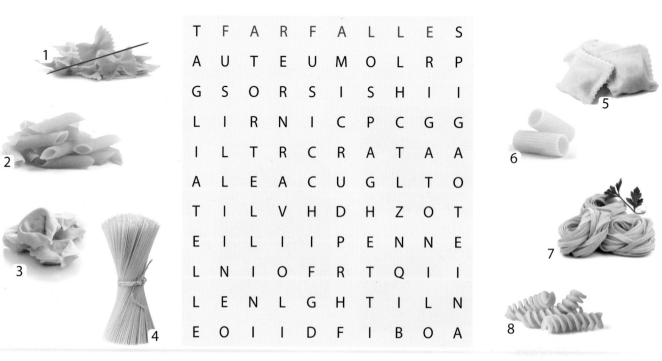

T	F	A	R	F	A	L	L	E	S
A	U	T	E	U	M	O	L	R	P
G	S	O	R	S	I	S	H	I	I
L	I	R	N	I	C	P	C	G	G
I	L	T	R	C	R	A	T	A	A
A	L	E	A	C	U	G	L	T	O
T	I	L	V	H	D	H	Z	O	T
E	I	L	I	I	P	E	N	N	E
L	N	I	O	F	R	T	Q	I	I
L	E	N	L	G	H	T	I	L	N
E	O	I	I	D	F	I	B	O	A

c Che cosa sono? Collega le immagini alla lista della spesa.

il sapone

la crema

lo shampoo

il detersivo per lavatrice

il bagnoschiuma

la carta igienica

il detersivo per piatti

la schiuma da barba

d Che cosa sono? Trova e correggi gli errori e poi abbina le parole alle immagini.

buro	(___burro___)	_1_
late	(_____)	___
caffè	(_____)	___
tono	(_____)	___
biscoti	(_____)	___
cereali	(_____)	___
aceto	(_____)	___
olio di oliva	(_____)	___
yogurt	(_____)	___

27 Al negozio di frutta e verdura

a Osserva l'immagine e completa le parole.

1. f _ _ _ _ _ _

2. _ _ _ _ l _ _

3. _ _ _ _ _ _ _ _ i   6. _ _ _ _ n e

4. _ a _ _ _ _   7. _ _ _ _ _ c _ _ _ _

5. _ _ c _ _ _ _ _   8. _ _ _ _ n _

b Abbina i cestini alla lista corretta. Attenzione: c'è una lista in più!

1
uva
anguria
pesche
fragole

2
zucca
fragole
melanzane
ciliegie

3
pere
cavolo
uva
melanzane

a

b

EDILINGUA

c Guarda le immagini e cerchia i nomi degli alimenti.

M	E	L	E	A	G	L	I	O
C	A	V	A	R	A	N	C	E
O	B	R	O	C	C	O	L	I
L	P	O	M	O	D	O	R	I
F	U	V	A	I	P	E	R	E
O	L	I	M	O	N	I	R	E

1

2

3

4

5

6

7

8

Con le lettere rimanenti scrivi il nome di questa verdura:

_____

d Inserisci nella lista giusta le parole di pagina 106 e 107!

frutta

verdura

107

28 Le professioni e i mestieri

Che lavoro fanno?

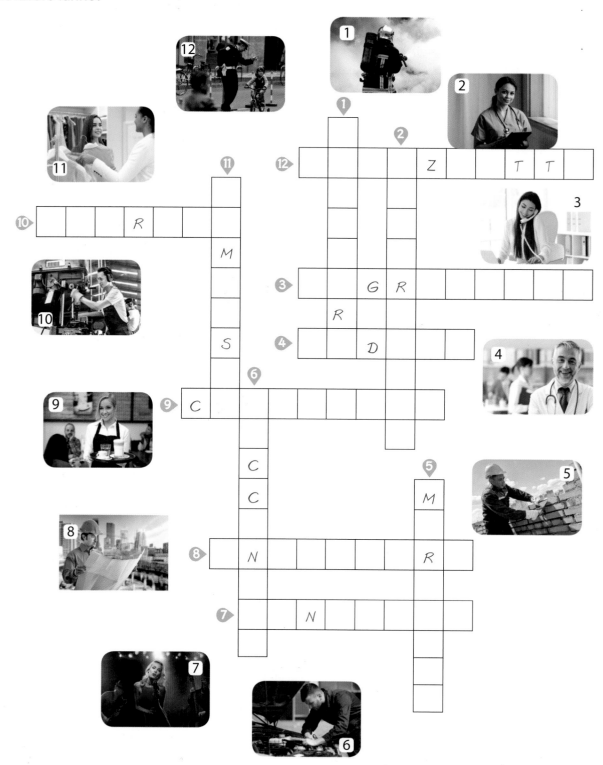

29 I contrari

a Completa le frasi con gli aggettivi adatti.

1. Il treno rosso è _____,
   quello verde è _____.

2. La porta è _____,
   le finestre sono _____.

3. I piatti sono _____.

4. I cavalli sono _____.

5. La piuma è _____.

6. Gli elefanti sono _____.

b Trova i contrari degli aggettivi dati. Con le lettere che rimangono trovi il nome della torre bassa.

Bologna, la torre degli Asinelli e
_____ t _____
G _____ .

A	L	P	A	M	T	O	L	R
C	N	R	E	E	O	D	E	A
O	S	Z	G	S	E	L	N	L
R	F	P	I	R	A	L	T	T
T	R	B	O	A	A	N	O	O
O	E	E	L	R	N	S	T	A
G	D	L	A	R	C	O	S	E
I	D	L	S	E	N	O	D	O
A	O	O	A	P	E	R	T	O

~~lungo~~
pulito
leggero
chiuso
brutto
veloce
giovane
poco
basso
caldo
magro

Vestiti e accessori 1

a Osserva le immagini e completa le parole.

1. c _____
2. p _____
3. c _____
4. p _____
5. g _____
6. c _____
7. c _____
8. c _____
9. v _____
10. m _____
11. b _____

b Nei paroloni trova vestiti e accessori. Con le lettere che restano scopri dove compriamo queste cose.

COLLANANEGSANDALIOZIORECCHINIOSTIVALIDISCARPEDAGINNASTICA
ABBIGOCCHIALIDASOLELIOCCHIALIDAVISTAAMCAPPELLOENTO

Al _ _ _ _ _ _ _ _   _ _   _ _ _ _ _ _ _ _ _ _ _ _ _ _

EDILINGUA

31

Vestiti e accessori 2

a Scegli l'alternativa corretta.

1. impermeabile / giubbotto

3. guanti / sciarpa

4. stivali / calzini

5. maglietta / maglione

2. minigonna / gonna lunga

6. cappello / berretto

b Completa i nomi di questi accessori.

1. _ _ _ _ _a_

2. _ _ _ _ _ _f_ _ _ _ _

3. _ _ _ _ _ _ _t_ _

4. _m_ _ _ _ _ _ _

5. _ _ _ _ _ _ _ _o_

6. _ _i_ _ _ _ _

32 La citta e i negozi

a Abbina le parole alle immagini. Ci sono due parole in più!

agenzia di viaggi ___

piazza ___

buca per le lettere ___

semaforo ___

edicola ___

fontana ___

strisce pedonali ___

banca ___

1

6

5

4

2

3

b Dove...? Completa le risposte e poi abbina le immagini.

1. Aspettiamo l'autobus? *Alla* _____

2. Spediamo una lettera? *All'* _____

3. Camminiamo? *Sul* _____

4. Guardiamo un film? *Al* _____

5. Attraversiamo la strada? *Sulle* _____

a

b

d

c

e

EDILINGUA

c Trova i nomi dei negozi. Attenzione: alcune parole sono al contrario. Poi metti in ordine le lettere che rimangono e completa la frase.

F	A	R	M	A	C	I	A	P	I	S
A	I	R	E	L	L	E	I	O	I	G
L	L	I	B	R	E	R	I	A	B	C
P	A	S	T	I	C	C	E	R	I	A
I	C	H	I	E	S	A	C	L	A	I
E	T	A	M	O	C	N	A	B	T	A

Quando andiamo in usiamo la _____ _____ .

d In quali negozi compriamo questi prodotti?

1. *In* _____

2. *In* _____

3. *Dal g*_____

4. *Al* _____

5. *Al* _____

6. *Al* _____

Elettrodomestici e apparecchi

a Completa il cruciverba.

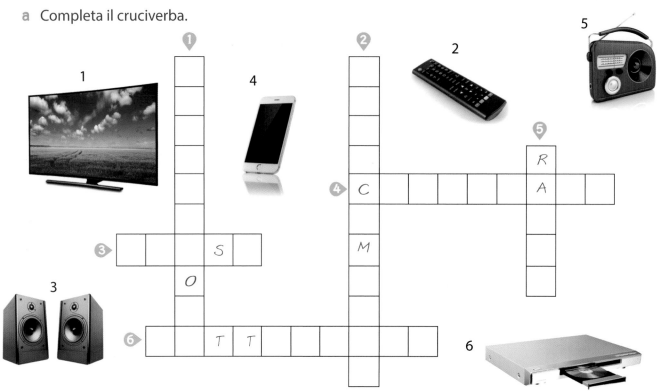

(1)

b Osserva l'immagine della cucina per 30 secondi e poi scrivi tutti i nomi di elettrodomestici che ricordi.

_____

_____

_____

EDILINGUA

c Osserva l'immagine dello studio e scrivi il nome degli oggetti con l'articolo corretto.

1. lo _____

2. la _____

3. il _____

4. ___ s _____

5. ___ m _____

6. ___ _____

7. ___ _____

8. ___ _____

d In lavanderia. Abbina le parole alle immagini. Attenzione: ci sono 2 parole in più!

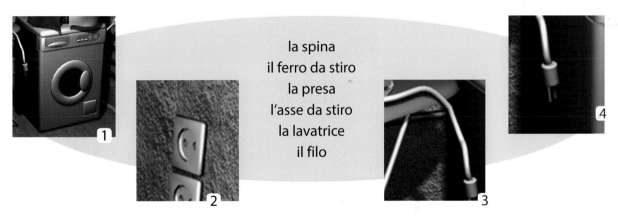

la spina
il ferro da stiro
la presa
l'asse da stiro
la lavatrice
il filo

a Come si chiamano questi animali?

1. _ _ _ f _ _

2. _ _ _ _ _ _ _ e

3. _ _ _ u _ _ _

4. _ _ _ _ n _

5. _ _ _ p e _ _ _

6. _ _ _ p _

b Abbina le parole alle immagini. Prima però correggi gli errori ortografici!

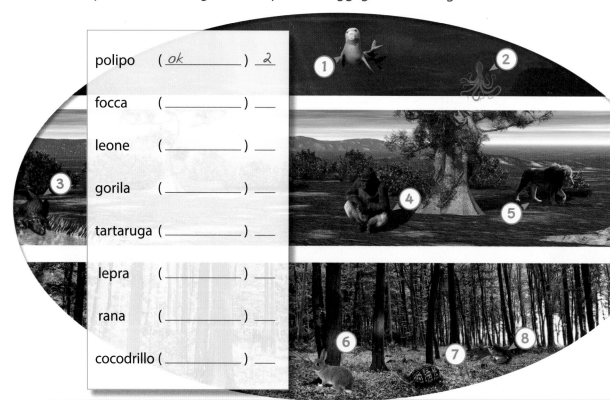

polipo	(_ok_)	2
focca	(_____)	__
leone	(_____)	__
gorila	(_____)	__
tartaruga	(_____)	__
lepra	(_____)	__
rana	(_____)	__
cocodrillo	(_____)	__

c Riconosci gli animali delle immagini? Completa il cruciverba. Poi metti in ordine le lettere delle caselle verdi per trovare la risposta.

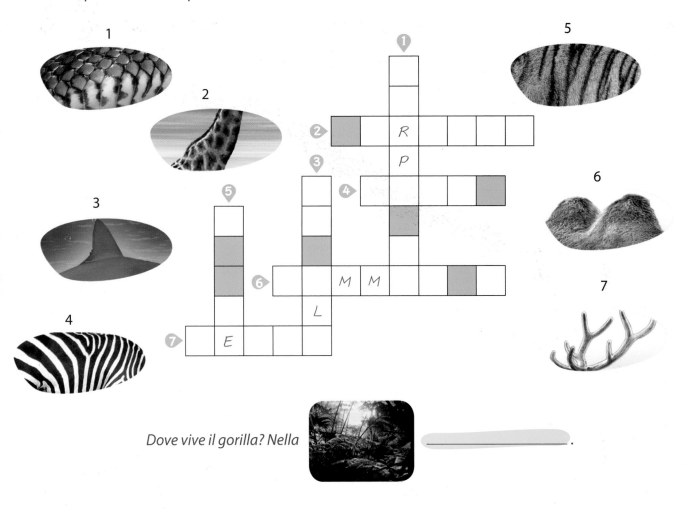

Dove vive il gorilla? Nella _____.

d Dove vivono di solito questi animali? Metti i nomi nella colonna giusta. Aggiungi poi tutti gli animali che ricordi.

il rinoceronte ◆ la medusa ◆ il granchio ◆ l'orso ◆ il lupo

nel mare	nella giungla	nel bosco

35 Lo spazio

a Che cosa sono? Completa con articolo e nome.

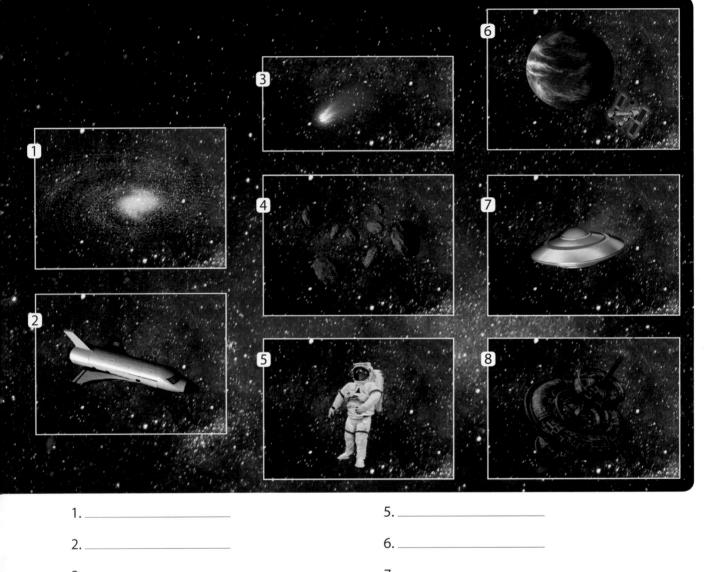

1. _____
2. _____
3. _____
4. _____
5. _____
6. _____
7. _____
8. _____

b Trova alcuni dei pianeti del sistema solare nel parolone. Ricordi anche gli altri?

giovaneterraacquariosaturnouranonessunogioveamoremercuriomarzo

_____
_____
_____

EDILINGUA

La macchina e i segnali stradali

a Abbina i numeri alle parole.

il clacson ___   il volante ___   l'acceleratore ___

il cambio ___   il tachimetro ___   il portaoggetti ___

il sedile ___   il parabrezza ___   lo specchietto retrovisore ___

b Come si chiamano queste parti dell'auto?

1. la t_____
2. ___ f_____
3. la f_____
4. ___ p_____ i
5. ___ c_____
6. ___ t_____ o

c Completa le parole.

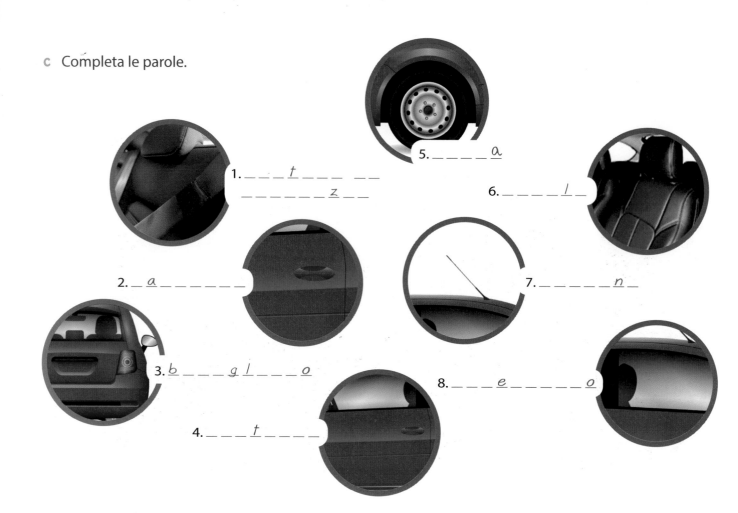

1. _ _ _ t _ _ _ _ _
   _ _ _ _ _ _ z _ _

5. _ _ _ _ _ a

6. _ _ _ _ _ l _

2. _ a _ _ _ _ _ _

7. _ _ _ _ _ n _

3. b _ _ g l _ _ o

8. _ _ _ _ e _ _ _ _ o

4. _ _ _ _ t _ _ _ _

d Abbina i segnali stradali al loro significato.

limite di velocità _____

lavori in corso _____

divieto di sorpasso _____

curva pericolosa _____

sosta vietata _____

divieto di accesso _____

attraversamento _____
pedonale

direzione obbligatoria _____

a Inserisci in ogni casella la parola corrispondente con l'articolo corretto.

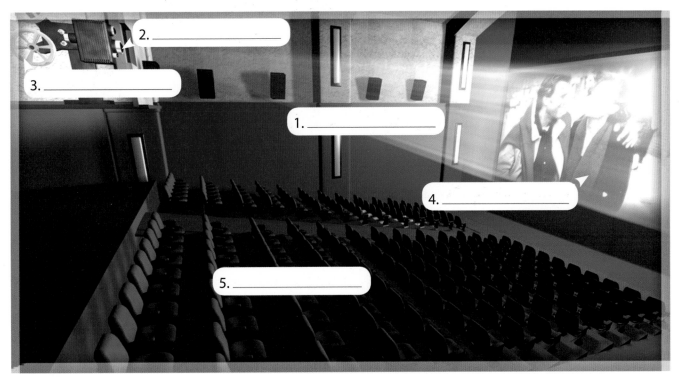

2. _____

3. _____

1. _____

4. _____

5. _____

b Abbina le immagini al genere di film corretto.

film d'animazione ____

western ____

film d'azione ____

film dell'orrore ____

commedia ____

film di fantascienza ____

c A teatro. Scegli l'alternativa corretta.

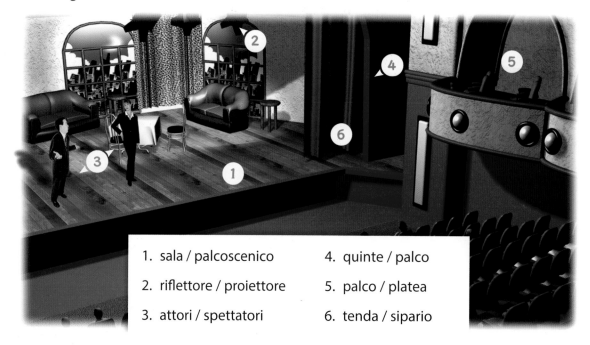

1. sala / palcoscenico
2. riflettore / proiettore
3. attori / spettatori

4. quinte / palco
5. palco / platea
6. tenda / sipario

d Arti e artisti: completa la tabella.

scultura → _scultore, scultrice_   _____ → fotografo, _____

pittura → _____   _____ → ballerina, _____

e Come si chiamano questi strumenti musicali? Completa con articolo e nome.

1. _____
2. _____
3. _____
4. _____
5. _____
6. _____

EDILINGUA

38 I colori e le forme

a Abbina i colori alle parole. Prima però correggi gli errori ortografici!

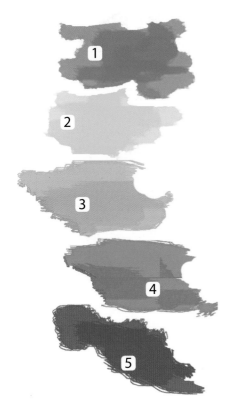

nerro   (___nero___) _6_

marrone (_____) __

gialo   (_____) __

blu   (_____) __

bianko (_____) __

grigo   (_____) __

verde   (_____) __

arancione (_____) __

azuro   (_____) __

rosso   (_____) __

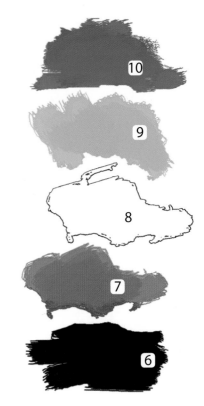

b Osserva le immagini e completa i nomi delle forme.

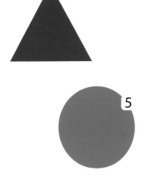

1. _t_ _ _ _ _ _ _ _

2. _c_ _ _ _

3. _r_ _ _ _ _ _ _ _ _ _

4. _s f_ _ _ _

5. _c_ _ _ _ _h_ _

6. _q_ _ _ _ _r_ _ _ _

7. _p_ _ _ _ _ _ _ _ _

8. _c_ _ _ _ _ _ _ _

39 La posta e i servizi postali

Abbina i numeri alle parole.

cartolina	___	pacco	___
codice postale	___	francobollo	___
mittente	___	destinatario	___
indirizzo	___	busta	___

2

8 Giulio Cesarini
Piazza Bologna
00162 Roma

Laura Manfredi
Via Parini, 55
00152 Roma

R Dott. Dino L.
Via Lago Mag.
06110 Perugia

7

POSTA PRIORITARIA
Priority Mail

5

4 Sig.ra Ornella Bianchi
Via V. Emanuele, 103
40137 Bologna

3

6

TELEGRAMMA
Antonio Neri
Via Dante, 31
20133 Milano

1

40 I contenitori

a Completa il cruciverba.

b Abbina gli oggetti alle parole.

sacco
bomboletta
secchio
cestino
borraccia
sacchetto
tubetto

125

a Che cosa sono? Scegli l'alternativa corretta.

1
a. tetto
b. porta
c. giardino

2
a. quattordici
b. quindici
c. diciassette

3
a. cucina
b. camera da letto
c. studio

4
a. mansarda
b. tenda
c. salotto

5
a. gamba
b. petto
c. caviglia

6
a. Africa
b. America Latina
c. Oceano Indiano

7
a. parete
b. pavimento
c. comodino

8
a. caminetto
b. specchio
c. forno

b Il vocabolario nell'arte. Come si chiamano queste parti del corpo?

1. i _____
2. la _____
3. la _____
4. l' _____
5. il _____
6. il _____
7. la _____

Amedeo Modigliani, *Jeanne Hébuterne con cappello e collana*, 1918

c Che ore sono? Abbina gli orologi alle frasi.

1. Sono le ventuno e trentasei. ___
2. È l'una meno cinque. ___
3. Sono le otto in punto. ___
4. Sono le dieci e dieci. ___

d Dov'è la pallina rispetto alla scatola?

1. _____
2. _____
3. _____
4. _____

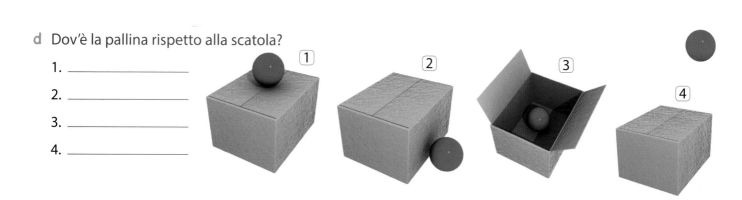

e Completa il cruciverba.

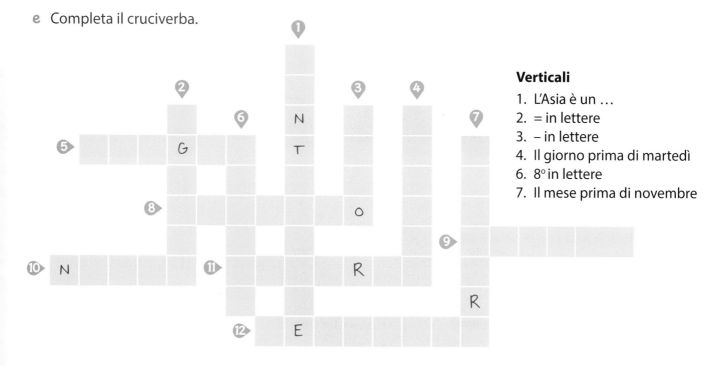

Verticali

1. L'Asia è un …
2. = in lettere
3. − in lettere
4. Il giorno prima di martedì
6. 8° in lettere
7. Il mese prima di novembre

Orizzontali

5. Il mese dopo aprile
8. La stagione dopo l'estate
9. Il Pacifico è un …
10. Quando è … andiamo a dormire
11. Il giorno dopo giovedì
12. 30 − 7 = …

a   Che cosa sono? Scegli tra le parole date.

il motoscafo ◆ il fulmine ◆ Babbo Natale ◆ la barca a vela ◆ il salvagente ◆ il furgone
la matita ◆ il tram ◆ lo zaino ◆ la montagna ◆ l'aereo ◆ la sedia a sdraio

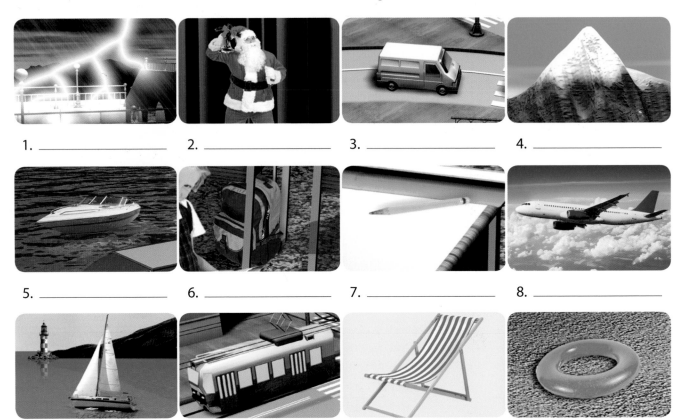

1. _____
2. _____
3. _____
4. _____

5. _____
6. _____
7. _____
8. _____

9. _____
10. _____
11. _____
12. _____

b   Completa le frasi con le parole date.

passeggiate ▮ ombrello ▮ Lazio ▮ matrimonio ▮ ombrellone ▮ atterraggio ▮ musica ▮ biglietteria ▮ Firenze

1. Piove! Prendo l'_____.

2. Nel tempo libero ascolto molta _____ e faccio _____ nel parco.

3. Roma è nel _____; _____ invece è in Toscana.

4. Alla stazione c'è sempre la fila in _____.

5. Al _____ di mia sorella ho visto tutti i miei cugini.

6. Al mare rimango sempre sotto l'_____.

7. Per il decollo e l'_____ allacciamo le cinture.

c Vero o falso?

1. Se piove prendo il righello. Ⓥ Ⓕ

2. Quando c'è il sole, in estate, fa caldo. Ⓥ Ⓕ

3. In spiaggia facciamo passeggiate nel bosco. Ⓥ Ⓕ

4. Al matrimonio ci sono lo sposo e la sposa. Ⓥ Ⓕ

5. Di solito il banco dei check in è vicino ai binari. Ⓥ Ⓕ

6. Il filobus e il tram sono la stessa cosa. Ⓥ Ⓕ

7. La metropolitana è un mezzo di trasporto. Ⓥ Ⓕ

d Completa le frasi con la parola adatta.

1. Torino è in _____; _____ è il capolougo della Lombardia.

2. Se c'è _____, non c'è la nebbia.

3. L'Italia confina a nord-ovest con la _____, a nord con la Svizzera e l'_____
   e ad est con la _____.

4. Il cielo è _____: forse pioverà.

5. Nello zaino metto i libri, i _____ e l'_____ con penne e matite.

6. In chiesa ci sono tutti: i parenti, gli _____... manca il _____!

7. Dalla finestra della camera vediamo il _____ acceso e le luci del _____!

e Cerchia la parola estranea.

1. autobus - matita - insegnante - banco

2. il fuoristrada - il taxi - la neve - lo scooter

3. il prete - la chiesa - il matrimonio - la maschera

4. la cascata - il sentiero - il porto - il prato

Cascata delle Marmore,
Terni, Umbria

a Abbina i verbi alle immagini.

- correre
- telefonare
- mangiare
- ridere
- chiacchierare
- scrivere
- dormire
- leggere

b Inserisci le parole nel rispettivo campo lessicale.
Attenzione: alcune parole possono stare in più colonne.

i latticini ▪ la maglietta ▪ i peperoni ▪ il fioretto ▪ il canestro ▪ il cuoco ▪ il coniglio
la forchetta ▪ la mucca ▪ il vestito ▪ i sandali ▪ i pomodori ▪ le fragole
il cucciolo ▪ i guanti ▪ lo sci ▪ il detersivo ▪ i ravioli ▪ l'antipasto ▪ il pallone ▪ i salumi

Al ristorante	Lo sport	Gli animali	Al supermercato	Frutta e verdura	Vestiti e accessori

EDILINGUA

c Seleziona l'alternativa corretta.

1. Per fare la doccia usiamo…
   a. il bagnoschiuma
   b. la schiuma da barba
   c. il detersivo

2. Camicia da donna:
   a. camicetta
   b. canotta
   c. maglietta

3. Quale sport si fa a cavallo?
   a. Il nuoto
   b. La scherma
   c. L'equitazione

4. Per tagliare la bistecca usiamo…
   a. il cucchiaio
   b. il coltello
   c. il pane

5. Se c'è un incendio chiamiamo…
   a. il dottore
   b. il muratore
   c. i pompieri

6. In quale sport non c'è la rete?
   a. La pallacanestro
   b. Il tennis
   c. La pallavolo

7. Nel pollaio non c'è…
   a. la gallina
   b. il criceto
   c. il pulcino

8. Il contrario di pulito:
   a. vecchio
   b. sporco
   c. vuoto

d Completa le frasi con gli aggettivi o i sostantivi adatti.

1. Cosa c'è nella tua borsa? Non riesco a spostarla, è molto _____!

2. La tua casa è molto _____! Hai appena fatto le pulizie?

3. Bella questa camicia a maniche corte! C'è anche a maniche _____?

4. Sono una _____, lavoro nella cucina di un ristorante famoso.

5. Per proteggere gli occhi d'estate porto sempre gli _____ da sole.

6. I canarini sono chiusi nelle _____ in giardino.

7. A Capodanno finisce l'anno vecchio e arriva l'anno _____.

e Il vocabolario nell'arte. Completa i nomi di frutta e verdura.

1. l'_____

2. la_____

3. la_____

4. le_____

5. la_____

6. le_____

Giuseppe Arcimboldo,
Vertumno, 1590

131

Esercizi di ricapitolazione

a Cerchia la parola estranea.

1. cappello - lampada - calzini - cintura
2. televisore - computer - frullatore - cammello
3. pescecane - delfino - rinoceronte - balena
4. Giove - Saturno - lunedì - Marte
5. cofano - fanale - scultore - bagagliaio
6. danza - fotografia - pittura - chitarra
7. marrone - verde - cerchio - azzurro

b Completa le frasi con le parole corrispondenti alle immagini date.

1. All'opera ci sono sempre molti attori sul _____.
2. Conosci la favola della _____ e della tartaruga?
3. Il mio colore preferito è il _____.
4. A Roma ci sono molte _____ famose.
5. Vado all' _____ per comprare il giornale.
6. Che profumo! Cosa c'è in _____?
7. Attenzione! Vicino alla scuola c'è un _____.
8. Puoi mettere i fiori nel _____?
9. La stilista Mary Quant ha inventato la _____.
10. Domani vado in posta a spedire un _____ per Silvia.

c Completa il cruciverba.

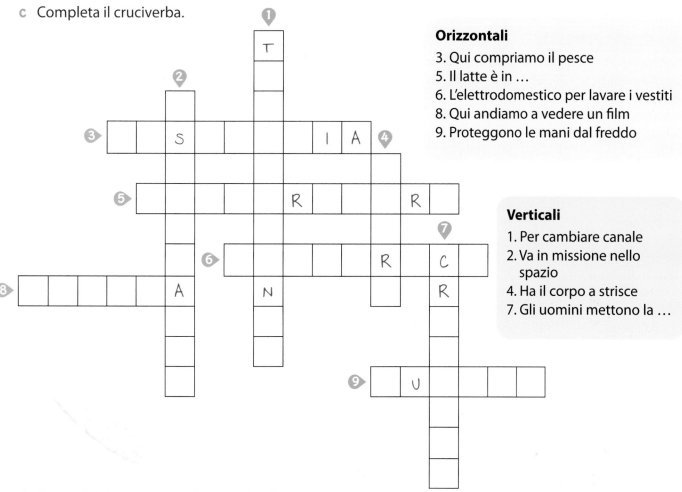

Orizzontali

3. Qui compriamo il pesce
5. Il latte è in …
6. L'elettrodomestico per lavare i vestiti
8. Qui andiamo a vedere un film
9. Proteggono le mani dal freddo

Verticali

1. Per cambiare canale
2. Va in missione nello spazio
4. Ha il corpo a strisce
7. Gli uomini mettono la …

d Come si chiamano questi contenitori?

1. _____

2. _____

3. _____

4. _____

5. _____

6. _____

7. _____

8. _____

Indice alfabetico delle parole

EDILINGUA

CD

Indice del CD audio

Chiavi delle attività di ascolto

traccia1 2, 4, 10, 13, 22, 23, 101, 500, 1 milione

t3 3+5=, 9-4=, 7x2=, 9:3=

t4 terzo, primo, decimo, diciottesimo

t5 1. io, 2. il mio fratellino, 3. mio fratello, 4. mia madre e mio padre, 5. mio nonno e mia nonna, 6. mia zia, 7. mio zio, 8. mia cugina, 9. mio cugino

t6 camera da letto, studio,mansarda, bagno, cucina, sala da pranzo, giardino, balcone, fiori

t8 bagno, studio

t10 a. il braccio, la mano, la testa, il collo, la gamba; b. l'anulare, il pollice; c. il naso

t11 9.00 (esame); (11.50) lezione; (13.30) pranzo con Lucia; (14.45) /; (17.15) tennis; (20.00) dentista; (22.40) cinema

t12 1. la notte, il pomeriggio, il mattino, l'alba; 2. mezzogiorno; 3. sera; saluti: Buongiorno!, Buona sera!

t14 1. sopra, 2. di fianco, 3. in alto, 4. lontano, in fondo, 5. fra, 6. lungo, 7. dentro

t16 lunedì, giovedì, sabato

t17 estate, inverno, dicembre, luglio, agosto, autunno, marzo, febbraio, aprile

t19 Ovest, L'Asia, L'America del Nord, Est

t20 1. Veneto, Trentino Alto Adige, Venezia, Trento, Toscana, Umbria, Marche, Firenze; 2. Sicilia, Milano, Napoli, Campania, Sardegna, Cagliari, Puglia

t22 Svezia, Bielorussia, Bulgaria, Serbia, Slovenia, Montenegro, Italia, Germania, Belgio, Francia, Spagna

t23 1. tira vento; 2. non c'è quasi mai il sole; 3. non piove; 4. non nevica più; 5. cielo sereno; 6. poco sole

t24 1. Natale, albero di Natale, regali, Capodanno, festa dell'ultimo dell'anno, spumante, fuochi d'artificio; 2. San Valentino, mazzo di fiori, scatola di cioccolatini; 3. Pasqua, Carnevale, maschere, costumi, coriandoli, stelle filanti; 4. Ferragosto, chiesa, la spiaggia, il prete

t26 autobus, tram, metropolitana, macchina, automobile, taxi, moto, scooter, furgoni, treno, aereo, nave

t28 1. V, 2. F, 3. V, 4. F, 5. F, 6. V, 7. F, 8. V, 9. V

t29 a. 1. le rotaie, 2. la fila, 3. la biglietteria, 4. i passeggeri, 5. la biglietteria automatica, 6. il tabellone degli orari, 7. il marciapiede, 8. il binario, 9. obliteratrice; b. 1. la sala d'attesa, 2. il tabellone degli orari, 3. il banco del check in, 4. il bagaglio, 5. il banco informazioni, 6. il carrello; c. 1. l'assistente di volo, la hostess, 2. l'hangar, 3. il motore, 4. la torre di controllo, 5. l'atterraggio, 6. il finestrino, 7. la compagnia aerea, 8. la scaletta, 9. l'ala, 10. il decollo, 11. il portellone, 12. l'aereo, 13. la coda

t30 mare, ombra, sedia a sdraio, pallone, windsurf, barca a remi, scoglio, maschera, conchiglie, stella marina, tuffarsi, nuotare, materassino, sabbia, asciugamano, ombrellone

t32 1. la vetta, 2. il ghiacciaio, 3. il prato, 4. il sacco a pelo, 5. la roccia, 6. il sentiero, 7. il bosco, 8. l'aquila, 9. il lago, 10. il fiume, 11. la collina, 12. l'anatra, 13. la montagna, 14. l'erba, 15. il cespuglio, 16. la cascata, 17. la tenda, 18. lo zaino, 19. lo scoiattolo, 20. l'albero, 21. il capriolo, 22. gli uccelli

t33 1. guardare serie televisive, leggere libri, esco (uscire) con gli amici, andiamo (andare) a mangiare una pizza, che sport fai (fare sport), gioco (giocare) a calcio, amo la fotografia; 2. fare passeggiate, fare giardinaggio, amo cucinare, navigo (navigare) in Internet; 3. esco (uscire) con gli amici; andiamo (andare) in discoteca; (andare) a ballare; fai sport (fare sport), vado (andare) in palestra; giochi (giocare) ai videogiochi; sto (stare) sui social media; vai (andare) a teatro; vai (andare) al cinema

t35 1. F, 2. V, 3. F, 4. V, 5. F, 6. V, 7. F, 8. F, 9. V, 10. V, 11. V, 12. V, 13. V, 14. V, 15. F, 16. V, 17. V, 18. F, 19. V, 20. V, 21. F

t36 1. tavolo, menù, antipasto, bruschette, secondo, il pesce alla griglia, spaghetti, insalata, contorno, cameriera; 2. piatto, zuppa, secondo, bistecca, dolce, caffè, acqua naturale, bicchiere, vino rosso

t38 la scherma, la racchetta, il salto in lungo, la bicicletta, lo sci, la rete

t39 1. V, 2. F, 3. V, 4. F, 5. V, 6. F, 7. F, 8. V

t40 cavallo, asino, mucca, pecora, maiale, pollaio, pulcino

t41 detersivo per piatti, sapone, shampoo, bagnoschiuma, latte, parmigiano, yogurt, mozzarella, biscotti, spaghetti, caffè,

Chiavi

pecorino, olio d'oliva, cereali, mortadella, aceto, spaghetti, penne, fusilli

t43 la fruttivendola, la zucca, i cavoli, la cassa, i funghi, le pere, le carote

t44 fotografo, medico, segretaria, barista, cuoco, pompiere, ingegnere, insegnante, attrice

t45 1. F, 2. V, 3. F, 4. F, 5. V, 6. V, 7. F, 8. F, 9. V, 10. F, 11. F, 12. V, 13. F, 14. V

t46 pantaloncini, canotta, camicetta, gonna, costume da bagno, ciabatte, jeans, completo, scarpe, camicia a maniche lunghe, maglietta, bermuda

t48 1. minigonna, bottoni, cappotto; 2. giubbotto, impermeabile, berretto, guanti; 3. portafoglio, sciarpa, calze, calzini

t50 1. pasticceria, centro commerciale, supermercato, pescheria, forno, piazza, cinema; 2. negozio di fiori, semaforo, fontana, edificio, bar, bancomat, banca; 3. edicola, giornalaio, posta, chiesa, strada, ufficio postale, incrocio

t52 a. il forno; b. la lavatrice; c. il frigorifero; d. il telefono

t53 il granchio; il polipo; il gorilla; l'elefante; la tigre; il cammello; lo struzzo; la lepre, il serpente

t54 1. la Terra; 2. i pianeti del sistema solare; 3. il Sole; 4. Mercurio; 5. Venere; 6. Marte; 7. Giove; 8. Saturno; 9. Urano; 10. Nettuno; 11. la galassia; 12. le stelle; 13. la cometa; 14. i meteoriti; 15. la Luna; 16. il satellite; 17. le navicelle spaziali; 18. le stazioni spaziali; 19. l'astronauta; 20. l'astronave

t55 il freno, il parabrezza, il portaoggetti, il fanale, il sedile, la portiera, la cintura di sicurezza

t56 curva pericolosa, divieto di sorpasso

t57 a. la ballerina; b. le poltrone; c. una commedia; d. gli spettatori

t58 il giallo, la tavolozza, la sfera, il grigio, il triangolo,

t59 pacco, raccomandata, destinatario, busta, indirizzo, codice postale, francobollo, mittente

t61 cestino, sacco, barile, bomboletta, lattina, barattolo, vaso, bottiglia, scatoletta, tubetto, sacchetto, pacchetto

Chiavi Eserciziario

1 **a.** (16) sedici, (130) centotrenta, (24) ventiquattro, (2000) duemila, (40) quaranta, (505) cinquecentocinque, (12) dodici, (78) settantotto; **b.** (5+10=15) cinque più dieci uguale quindici, (80:2=40) ottanta diviso due uguale quaranta, (9x3=27) nove per tre uguale ventisette, (2000-300=1700) duemila meno trecento uguale millesettecento; **c.** (5°) quinto, (9°) nono, (23°) ventitreesimo, (21°) ventunesimo, (7°) settimo, (100°) centesimo.

2 **a.** 1. madre, 2. sorella, 3. cugina, 4. padre, 5. nonni, 6. genitori, 7. figlio, 8. fratellino; **b.** 1. cugina, 2. marito, 3. nonna, 4. sorella, 5. genitori, 6. fratello.

3 **a.** 1. sala da pranzo, 2. balcone, 3. camera da letto, 4. bagno, 5. finestra, 6. giardino, 7. salotto, 8. cucina; **b.** porta| n | comignolo| s |antenna| a |tenda| z |soffitta| t |ingresso| e |abbaino: stanze.

4 **a.** 1. vasca da bagno, 2. tavolo, 3. armadio, 4. cassetto, 5. tappeto, 6. camera da letto, 7. poltrona, 8. quadro; **b.** lo studio: la scrivania, la libreria; la cucina: il tavolo; il bagno: lo specchio, la doccia; il salotto: il caminetto, il tavolino; la camera da letto: il comodino.

5 **a.** 1. braccio, 2. ascella, 3. ginocchio, 4. polpaccio, 5. coscia, 6. caviglia, 7. pancia, 8. petto, 9. mano; **b.** 1. pollice, 2. indice, 3. medio, 4. anulare, 5. mignolo, 6. unghia, 7. polso; **c.** 1. collo, 2. schiena, 3. gamba, 4. piede, 5. gomito, 6. spalla, 7. testa; **d.** 1. capelli, 2. fronte, 3. occhio, 4. naso, 5. bocca, 6. mento, 7. orecchio;

6 **a.** 1. alle otto e quaranta (alle nove meno venti), 2. alle dieci e quindici (alle dieci e un quarto), 3. alle tredici e quarantacinque (alle due meno un quarto), 4. alle quattordici e venti (alle due e venti), 5. alle diciassette e cinquanta (alle sei meno dieci), 6. alle diciannove e trenta (alle sette e mezza); **b.** 1. (3.15), 2. (6.35), 3. (10.45), 4. (12.50).

7 1. mattina, 2. alba, 3. mezzogiorno, 4. pomeriggio, 5. tramonto, 6. sera, 7. mezzanotte, 8. notte.

8 **a.** 1. dietro, 2. sulla, 3. davanti, 4. fra, 5. sopra, 6. sotto, 7. di fianco, 8. fuori, 9. dentro; **b.** 1. in alto, 2. in fondo, 3. in basso, 4. a sinistra, 5. a destra, 6. lungo, 7. vicino.

9 **a.** lunedì, martedì, mercoledì, giovedì, venerdì, sabato, domenica; **b.** inverno: dicembre, gennaio, febbraio; primavera: marzo, aprile, maggio; estate: giugno, luglio, agosto; autunno: settembre, ottobre, novembre.

10 **a.** 1. Europa, 2. Asia, 3. Africa, 4. America, 5. Antartide, 6. Oceania; **b.** oceano, Pacifico, Ovest, Indiano, Est, Nord, Atlantico, Polo nord.

11 **a.** Sicilia (19), Veneto (7), Toscana (9), Campania (15), Lazio (12), Lombardia (4), Umbria (10), Emilia Romagna (8), Calabria

(18); **b.** a. Milano, b. Venezia, c. Firenze, d. Bari, e. Palermo, f. Cagliari, g. Napoli, h. Roma, i. Perugia, l. Genova.

12   1. Svezia, 2. Russia, 3. Polonia, 4. Austria, 5. Croazia, 6. Bulgaria, 7. Turchia, 8. Albania, 9. Italia, 10. Svizzera, 11. Spagna, 12. Portogallo, 13. Francia, 14. Belgio, 15. Regno Unito.

13   **a.** 1. è nuvoloso, 2. tira vento, 3. c'è la nebbia, 4. piove, 5. c'è il sole, 6. fa freddo; **b.** 1. vento, 2. fulmine, 3. nuvole, 4. sole, 5. neve, 6. pioggia.

14   **a.** 1. Carnevale, 2. Natale, 3. San Valentino, 4. Ferragosto, 5. matrimonio, 6. Capodanno, 7. Pasqua, 8. compleanno; **b.** 1. Babbo Natale, 2. costume, 3. fuochi d'artificio, 4. prete, 5. sposa, 6. regali.

15   **a.** 1. V, 2. F, 3. F, 4. V; **b.** elicottero (2), scooter (6), autobus (10), nave (4), taxi (1), macchina (12), tram (8), filobus (9).

16   **a.** 1. la gomma, 2. l'astuccio, 3. la lavagna, 4. la cattedra, 5. il quaderno, 6. il banco; **b.** 1. penna, 2. temperamatite, 3. zainetto, 4. matita, 5. mappamondo, 6. squadra.

17   **a.** 1. rotaie, treno, passeggero, biglietteria, binario, bagaglio, marciapiede; 2. banco del check-in, passeggero, carrello, bagaglio; **b.** 1. la torre di controllo, 2. il finestrino, 3. la scaletta, 4. il portellone, 5. l'assistente di volo, 6. il motore, 7. la coda, 8. l'atterraggio.

18   **a.** 1. materassino, 2. faro, 3. gabbiano, 4. salvagente, 5. porto, 6. pallone, 7. asciugamano, 8. sabbia, 9. lettino, 10. maschera, 11. ombrellone, 12. isola; **b.** 1. barca a remi, 2. sedia a sdraio, 3. costume da bagno, 4. barca a vela.

19   **a.** 1. ghiacciaio, 2. lago, 3. prato, 4. cascata, 5. collina, 6. bosco; **b.** 1. albero, 2. tenda, 3. cespuglio, 4. roccia, 5. erba, 6. aquila.

20   **a.** 1. uscire con gli amici, 2. guardare la TV, 3. fare giardinaggio, 4. giocare a calcio, 5. andare a correre, 6. fare una passeggiata, 7. dipingere; **b.** 1. in pizzeria, 2. al bar, 3. al cinema, 4. in palestra, 5. al museo; **c.** socialmedia| cr | andareapesca| u |farepesi| ci |giocareaivideogiochi| ve |fotografia| rb |cuffie| a: cruciverba.

21   **a.** 1. chiacchierare, 2. aspettare, 3. giocare, 4. bere, 5. lavorare, 6. cucinare; **b.** 1. dormire, 2. correre, 3. scrivere, 4. piangere, 5. camminare, 6. mangiare, 7. pagare, 8. ridere, 9. ballare, 10. saltare.

22   **a.** tovaglia (9), cucchiaio (7), forchetta (6), cucchiaino (8), coltello (5), bottiglia (3), bicchiere (4), piatto (2), acqua, (1); **b.** 1. secondo, 2. spaghetti, 3. antipasto, 4. bistecca, 5. cameriera, 6. frutta, 7. cucina, 8. cliente, 9. caffè, 10. menù; **c.** 1. caprese, 2. formaggi, 3. insalata, 4. spaghetti, 5. caffè, 6. bistecca, 7. pizza, 8. zuppa, 9. pane, 10. pesce.

23   **a.** 1. salto in lungo, 2. equitazione, 3. pugilato, 4. salto in alto, 5. pallacanestro, 6. pallavolo; **b.** 1. canestro, 2. fioretto, 3. bicicletta, 4. piscina, 5. sci, 6. guantoni, 7. racchetta, 8. pallone.

24   **a.** 1. criceto, 2. coniglio, 3. gattino, 4. canarino; **b.** 1. pescerosso, 2. gabbia, 3. guinzaglio, 4. cane, 5. cucciolo, 6. boccia, 7. pappagallo, animali domestici.

25   **a.** 1. cavallo, 2. puledro, 3. pecora, 4. agnello, 5. asino, 6. toro, 7. mucca, 8. vitello; **b.** 1. oca, 2. gallo, 3. maiale, 4. pollaio, 5. pulcino, 6. gallina.

26   **a.** parmigiano (3), mortadella (4), prosciutto cotto (5), pecorino (1), pancetta (6), mozzarella (2); **b.** 1. farfalle, 2. penne, 3. tortellini, 4. spaghetti, 5. ravioli, 6. rigatoni, 7. tagliatelle, 8. fusilli; **c.** il sapone (4), la crema (3), lo shampoo (8), il detersivo per lavatrice (1), il bagnoschiuma (5), la carta igienica (2), il detersivo per piatti (7), la schiuma da barba (6); **d.** burro (1), latte (6), caffè (4), tonno (8), biscotti (5), cereali (2), aceto (7), olio di oliva (3), yogurt (9).

27   **a.** 1. funghi, 2. cipolle, 3. peperoni, 4. carote, 5. cocomero, 6. melone, 7. pannocchie, 8. banane; **b.** 2. a, 3. b; **c** 1. pomodori, 2. aglio, 3. arance, 4. mele, 5. broccoli, 6. limoni, 7. uva, 8. pere: cavolfiore; **d. frutta:** cocomero, melone, banane, uva, anguria, pesche, fragole, ciliegie, pere, arance, mele, limoni; **verdura:** cipolle, peperoni, carote, pannocchie, zucca, melanzane, cavolo, pomodori, aglio, broccoli, cavolfiore.

28   1. pompiere, 2. infermiera, 3. segretaria, 4. medico, 5. muratore, 6. meccanico, 7. cantante, 8. ingegnere, 9. cameriera, 10. operaio, 11. commessa, 12. poliziotto.

29   **a.** 1. moderno/nuovo, vecchio, 2. grande, piccole, 3. sporchi, 4. veloci/belli, 5. leggera, 6. **grandi/pesanti**; **b.** lungo-corto, pulito-sporco, leggero-pesante, chiuso-aperto, brutto-bello, veloce-lento, giovane-anziano, poco-molto, basso-alto, caldo-freddo, magro-grasso: la torre della garisenda.

30   **a.** 1. canotta, 2. pantaloncini, 3. camicia (a maniche lunghe), 4. pantaloni, 5. giacca, 6. ciabatte, 7. cappello, 8. costume da bagno, 9. vestito, 10. maglietta, 11. bermuda; **b.** collana| neg |sandali| ozi |orecchini| o |stivali| di |scarpedaginnastica| abbig |occhialidasole| li |occhialidavista| am |cappello| ento: negozio di abbigliamento.

31   **a.** 1. giubbotto, 2. gonna lunga, 3. guanti, 4. calzini, 5. maglione, 6. berretto; **b.** 1. borsa, 2. portafoglio, 3. cravatta, 4. marsupio, 5. ombrello, 6. cintura.

32   **a.** 1. fontana, 2. buca per le lettere, 3. banca, 4. semaforo, 5. strisce pedonali, 6. piazza; **b.** 1. Alla fermata dell'autobus (d), 2. All'ufficio postale (e), 3. Sul marciapiede (a), 4. Al cinema (c), 5. Sulle strisce pedonali (b); **c.** 1. chiesa, 2. bancomat, 3. gioielleria, 4. farmacia, 5. libreria, 6. pasticceria: pista ciclabile; **d.** 1. In pescheria, 2. In panetteria, 3. Dal giornalaio, 4. Al negozio di scarpe, 5. Al negozio di elettrodomestici, 6. Al negozio di fiori.

33   **a.** 1. televisore, 2. telecomando, 3. casse, 4. cellulare, 5. radio, 6. lettore dvd; **b.** il fornello, il frigorifero, il forno a microonde, il tostapane, il frullatore, il forno, la macchinetta del caffè, il congelatore, la lavastoviglie; **c.** 1. lo schermo, 2. la tastiera, 3. il computer portatile, 4. la stampante, 5. il mouse, 6. il telefono, 7. la lampada, 8. il condizionatore/il climatizzatore; **d.** 1. la lavatrice, 2. la presa, 3. il filo, 4. la spina.

34   **a.** 1. delfini, 2. elefante, 3. struzzo, 4. balena, 5. serpente, 6. volpe; **b.** polipo (2), foca (1), leone (5), gorilla (4), tartaruga (7), lepre (6), rana (8), coccodrillo (3); **c.** 1. serpente, 2. giraffa, 3. squalo, 4. zebra, 5. tigre, 6. cammello, 7. cervo: giungla; **d.** nel mare: il granchio; nella giungla: il rinoceronte; nel bosco: l'orso, il lupo.

35   **a.** 1. la galassia, 2. la navicella spaziale, 3. la cometa, 4. i meteoriti, 5. l'astronauta, 6. la Terra, 7. l'astronave, 8. la stazione spaziale; **b.** giovane |terra| acquario |saturno|urano| nessuno |giove| amore |mercurio| marzo.

36   **a.** 1. tachimetro, 2. lo specchietto retrovisore, 3. il volante, 4. il parabrezza, 5. il clacson, 6. l'acceleratore, 7. il sedile, 8. il cambio, 9. il portaoggetti; **b.** 1. la targa, 2. il fanale, 3. la freccia, 4. il paraurti, 5. il cofano, 6. il tergicristallo; **c.** 1. cintura di sicurezza, 2. maniglia, 3. bagagliaio, 4. portiera, 5. **gomma**, 6. sedile, 7. antenna, 8. finestrino; **d.** 1. curva pericolosa, 2. divieto di accesso, 3. limite di velocità, 4. direzione obbligatoria, 5. sosta vietata, 6. attraversamento pedonale, 7. lavori in corso, 8. divieto di sorpasso.

37   **a.** 1. la sala cinematografica, 2. il proiettore, 3. la pellicola, 4. lo schermo, 5. la platea; **b.** 1. film d'animazione, 2. film d'azione, 3. commedia, 4. western, 5. film dell'orrore, 6. film di fantascienza; **c.** 1. palcoscenico, 2. riflettore, 3. attori, 4. quinte, 5. palco, 6. sipario; **d.** scultura: scultore, scultrice; pittura: pittore, pittrice; fotografia: fotografo, fotografa; danza/balletto: ballerino, ballerina; **e.** 1. la fisarmonica, 2. il violino, 3. il pianoforte, 4. la batteria, 5. il sassofono, 6. la chitarra.

38   **a.** nero (6), marrone (5), giallo (2), blu (10), bianco (8), grigio (7), verde (1), arancione (3), azzurro (9), rosso (4); **b.** 1. triangolo, 2. cubo, 3. rettangolo, 4. sfera, 5. cerchio, 6. quadrato, 7. pentagono, 8. cilindro.

39   1. busta, 2. destinatario, 3. codice postale, 4. indirizzo, 5. francobollo, 6. pacco, 7. cartolina, 8. mittente.

40   **a.** 1. bottiglia, 2. barile, 3. sacchetto, 4. lattina, 5. scatola, 6. vaso, 7. tazza, 8. barattolo; **b.** 1. tubetto, 2. secchio, 3. sacco, 4. cestino, 5. bomboletta, 6. borraccia, 7. sacchetto.

Chiavi Esercizi di ricapitolazione

1-10   **a.** 1. a, 2. c, 3. c, 4. a, 5. c, 6. b, 7. c, 8. b; **b.** 1. i capelli, 2. la bocca, 3. la mano, 4. l'occhio, 5. il naso, 6. il collo, 7. la schiena; **c.** 1. d, 2. a, 3. c, 4. b; **d.** 1. sopra, 2. di fianco, 3. dentro, 4. fuori/lontano; **e.** VERTICALI: 1. continente, 2. uguale, 3. meno, 4. lunedì, 6. ottavo, 7. ottobre, ORIZZONTALI: 5. maggio, 8. autunno, 9. oceano, 10. notte, 11. venerdì, 12. ventitré.

11-20   **a.** 1. il fulmine, 2. Babbo Natale, 3. il furgone, 4. la montagna, 5. il motoscafo, 6. lo zaino, 7. la matita, 8. l'aereo, 9. la barca a vela, 10. il tram, 11. la sedia a sdraio, 12. il salvagente; **b.** 1. ombrello, 2. musica, passeggiate, 3. Lazio, Firenze, 4. biglietteria, 5. matrimonio, 6. ombrellone, 7. atterraggio; **c.** 1. F, 2. V, 3. F, 4. V, 5. F, 6. F, 7. V; **d.** 1. Piemonte, Milano, 2. vento, 3. Francia, Austria, Slovenia, 4. nuvoloso, 5. quaderni, astuccio, 6. sposi, prete, 7. faro, porto; **e.** 1. autobus, 2. la neve, 3. la maschera, 4. il porto.

21-30   **a.** 1. telefonare, 2. mangiare, 3. chiacchierare, 4. dormire, 5. correre, 6. ridere, 7. scrivere, 8. leggere; **b. Al ristorante:** il cuoco, la forchetta, i ravioli, l'antipasto, i salumi; **Lo sport:** il fioretto, il canestro, lo sci, il pallone; **Gli animali:** il coniglio, la mucca, il cucciolo; **Al supermercato:** i latticini, il detersivo, i ravioli, i salumi; **Frutta e verdura:** i peperoni, i pomodori, le fragole; **Vestiti e accessori:** la maglietta, il vestito, i sandali, i guanti; **c.** 1. a, 2. a, 3. c, 4. b, 5. c, 6. a, 7. b, 8. b; **d.** 1. pesante, 2. pulita, 3. lunghe, 4. cuoca, 5. occhiali, 6. gabbie, 7. nuovo; **e.** 1. l'uva, 2. la pera, 3. la zucca, 4. le ciliegie, 5. la pannocchia, 6. le cipolle.

31-40   **a.** 1. lampada, 2. cammello, 3. rinoceronte, 4. lunedì, 5. scultore, 6. chitarra, 7. cerchio; **b.** 1. palcoscenico, 2. lepre, 3. rosso, 4. fontane, 5. edicola, 6. forno, 7. attraversamento pedonale, 8. vaso, 9. minigonna, 10. pacco; **c.** ORIZZONTALI: 3. pescheria, 5. frigorifero, 6. lavatrice, 8. cinema, 9. guanti; VERTICALI: 1. telecomando, 2. astronauta, 4. zebra, 7. cravatta; **d.** 1. scatoletta, 2. barattolo, 3. lattina, 4. vaso, 5. tazza, 6. scatola, 7. bottiglia, 8. sacchetto